LE MALENTENDU
de Nicole Fontet
est le deux cent sixième ouvrage
publié chez
LANCTÔT ÉDITEUR.

LE MALENTENDU

Nicole Fontet

LE MALENTENDU

roman

LANCTÔT
ÉDITEUR

LANCTÔT ÉDITEUR
1660 A, avenue Ducharme
Outremont (Québec)
H2V 1G7
Tél. : (514) 270.6303
Téléc. : (514) 273.9608
Adresse électronique : lanctotediteur@videotron.ca
Site internet : www.lanctotediteur.qc.ca

Photo de la couverture : Avary

Maquette de la couverture : Folio infographie

Mise en pages : Louise Durocher

Distribution :
Prologue
Tél. : (450) 434.0306/1.800.363.2864
Téléc. : (450) 434.2627/1.800.361.8088

Distribution en Europe :
Librairie du Québec
30, rue Gay-Lussac
75005 Paris
France
Téléc. : 43.54.39.15

Nous remercions le ministère du Patrimoine canadien et le Conseil des arts du
Canada de l'aide accordée à notre programme de publication. Nous remercions
également la SODEC, du ministère de la Culture et des Communications du
Québec, de son soutien. Lanctôt Éditeur bénéficie du Programme de crédit
d'impôt pour l'édition de livres du gouvernement du Québec, géré par la
SODEC.

J'offre ces petits moments de vies réelles et fictives aux hommes et aux femmes que j'ai rencontrés pour écrire cette histoire. À vous d'en faire le tri. Ne cherchez pas une histoire continue. Je vous présente une suite de tableaux. Je suis aussi très reconnaissante à ceux et celles qui m'ont nourrie d'anecdotes et de faits sur lesquels j'ai construit le roman. Je remercie particulièrement Philippe Ouimet pour sa confiance. Merci aussi à Bernard Poirot qui ouvre le bal.

Nicole Fontet

Paris,
14, rue des Batignolles
26 août 2001

Quel roman que ce *Malentendu* de Nicole Fontet. Une histoire qui se rendra sûrement sur la table des jurés du prix Tout-Court. L'auteure met en scène des garçons impétueux et volontaires. Des employés d'une télé québécoise sont les héros de cette aventure dans laquelle apparaissent des personnages attachants.

Il y a ce Denis Crête, un romantique, et Guy Ross, un Michael Schumacher en plus sage, qui font une balade dans une grosse américaine. La Camaro roule le long de la rivière des Outaouais, on se croirait dans du Jack Kerouac. Une très séduisante jeune femme nommée Sibylle les accompagne, mélange de Isadora Duncan et de Greta Garbo. Le trio va à la rencontre d'une sorte de héros, le Technicien Inconnu. Et voilà qu'on a l'impression de tomber dans les pages de Georges Simenon, avec l'entrée en scène d'un certain Sourcils Pointus, personnage à la fois tragique et truculent qui va goûter à la médecine d'une bande de gars déterminés et sensibles. Il va encaisser une salve de paroles d'une sorte de frère Tuck en plus grand, Gilles Lefebvre, surnommé Pinotte par ses comparses parce qu'il bouffe sans cesse des arachides. Ils sont drôles et émouvants, ces Québécois.

Et il y a ce sympathique compatriote à nous, un Français qui a choisi le Québec à la fin des années soixante. Jean-Paul Mallier est arrivé en ce pays des longs hivers avec de grands rêves. Là, c'est du Balzac. À lire... Il y a de tout dans le roman de Fontet, une fresque peuplée d'une multitude de personnages dont un sage, comme ce Denis Bélanger qui aime la terre et qui est clairvoyant comme le furent ses ancêtres, les grands coureurs des bois. Pour décrire un certain Jean-Louis Paquette, l'auteure a créé un petit journal de quartier, Le Monde d'Hochelaga-Maisonneuve. Une trouvaille que cette entourloupette littéraire à la Romain Gary grâce à laquelle elle nous fait découvrir une religieuse qui imprime le journal. Je me suis senti dans du Tremblay en découvrant le quartier du Faubourg-à-m'lasse. Voilà des mots dont les membres de l'Académie française devraient se délecter, du beau vieux français.

J'ai été particulièrement ravi de découvrir Yvan Laviolette. Je devrais écrire « redécouvrir » puisqu'il me semble l'avoir rencontré au cours de l'un de mes voyages pour la Dictée des Amériques. Cet homme est fin comme un renard argenté. Il est cameraman dans le roman comme dans la vie. On dirait un personnage de Tolstoï. Poli et raffiné, il se débrouille dans les situations les plus complexes, il sait tenir conversation et les femmes ne lui résistent pas. J'ai apprécié le rôle tenu par le « gars de mag », Yvan Blanchet, un homme très réservé, discret, silencieux et habile. Il a la patience des loups blancs du Labrador qui retrouvent toujours leur chemin dans les moments difficiles. L'écrivaine recourt aussi à une scène efficace dans laquelle apparaît un autre personnage clé. Il s'agit de Serge Marcil, un beau voyou qui peut devenir aussi raffiné qu'un Arsène Lupin pour défendre ses collègues. Je vous recommande de vous attarder à son discours dans la cafétéria où le cuisinier frise la dépression.

Enfin, j'ai eu un coup de cœur pour trois autres personnages qui s'insèrent dans la toile tissée par l'auteure du Malentendu. J'y ai découvert deux gars de son, ceux qui améliorent nos voix et qui nous font rêver en travaillant les bruits. Le premier, Gilles Fleurant, apparaît dès le début de l'histoire, dans le Québec de la fin des années soixante. Puis, Philippe Rioux, un Gaspésien, amoureux de la pêche et perfectionniste. Comme nous sommes dans le monde des images, l'auteure décrit ce Jean-Marc Dominique, un de ces gars qui créent de l'harmonie entre les images de caméra. Et, comme dans toute bonne histoire moderne, il fallait un crack de l'électronique. Il s'appelle Benoît Bergeron. Hergé aurait sûrement pensé un

personnage comme celui-là pour ajouter quelque
chose de scientifique à l'aventure.

J'avoue avoir été bouleversé par la beauté des
lignes qui racontent le quartier où des gars bâtis-
sent une télé. Je vous recommande ce beau roman
qui raconte, parfois à la manière de Zola, l'histoire
de ces jeunes hommes qui ont été les premiers techniciens embauchés par la télé publique québécoise. On est loin de la misère de Germinal. Ils ne
sont pas écrasés par la pauvreté et l'exploitation,
mais au contraire choyés par les bienfaits de la
Révolution tranquille. Leur engagement et leur
révolte sont alimentés par les souvenirs de pauvreté et de misère de leurs parents. Peut-être n'ont-
ils pas été compris ?

Ces jeunes gars sont de leur époque. Ils sont
quinze à être arrivés dans une télé qui ressemblait
à un collège classique. Pas étonnant qu'ils aient eu
le goût de brasser la cage. Charlebois l'a bien fait
à cette époque en lançant ses drums dans la salle
de l'Olympia parce qu'on ne l'écoutait pas. D'où
le titre Le malentendu qu'a choisi Fontet. Un seul
reproche peut-être : ce roman a quelque chose
d'inachevé que je ne pourrais décrire. J'en aurais
lu davantage.

Bernard Poirot

LE MALENTENDU AU CŒUR D'UN QUARTIER DE MISÈRE

Septembre 1968, un jeune homme, Yvan Laviolette, descend lentement la rue Fullum. À droite, une prison, le centre de détention Parthenais, où sont enfermés des criminels dangereux et des accusés en attente de procès. Ils sont encagés derrière des vitres teintées recouvertes de grilles d'acier. Aux étages les plus bas, des bureaux qui pourraient être ceux de fonctionnaires bien tranquilles examinant des formulaires d'impôts. Mais non, ils sont bourrés de policiers. C'est un quartier général. Au sous-sol, une salle d'autopsie. C'est là que sont amenés les corps des cas de mort suspecte. Vingt mètres plus au sud, des galeries brinquebalantes de maisons d'ouvriers menacent de s'écrouler. Et plus au sud encore, l'église de la paroisse Saint-Vincent-de-Paul dont les immenses clochers grugés par le vert-de-gris miroitent des mirages d'une richesse peut-être apparue il y a très longtemps. Elle trône au cœur du Faubourg-à-m'lasse, nom donné au quartier qui abritait des réservoirs de mélasse, ingrédient entrant dans la fabrication de la bière. Coin Sainte-Catherine et Fullum, Yvan fait une pose avant d'entrer dans un immeuble gris qui a tout sauf l'allure d'une station de télé.

« Est-ce qu'il y a eu malentendu ? se demande Yvan Laviolette. Je ne vois pas comment faire de la création et gagner ma vie dans ce coin perdu ! Peu importe, je veux travailler à la télévision et le Québec vient de se donner une télé éducative. J'y suis. Enfin, j'espère. Tout est à faire. Et il paraît que c'est un juge qui en est le patron. C'est bien ce que m'a raconté Jeanette Biondi hier soir. Suis-je vraiment à Radio-Québec, ici ? »

L'endroit est spécial... une drôle de bâtisse cerclée de chiendent qui lutte contre le macadam brûlant dans un quartier qui sent le chômage. Non loin, de l'autre côté de la rue Notre-Dame, le fleuve Saint-Laurent coule paisiblement aux pieds des quais chargés de boulettes de fer que de gros cargos ont ramenées de Sept-Îles.

Un motard casqué de noir enfourche une magnifique Triumph Bonneville de l'année. Yvan l'observe. Il est resté un bon moment à prendre des notes sur sa moto rouge, puis a rebroussé chemin et s'est dirigé vers l'arrière de l'église. « Il me semble que j'ai déjà vu cette moto... mais quand et où ? »

Dans sa Volks orange brûlé, Sibylle, une jeune femme aux allures andalouses, hésite devant l'immeuble de la nouvelle télé québécoise. Elle fouille dans un panier d'osier qui lui sert de sacoche. Rouge à lèvres, rimmel, parfum, paquet de cigarettes, briquet, elle renverse le tout sur le siège de droite. Puis, dans un miroir brisé, elle tente de se rassurer. « Faut être belle pour travailler à la télé. » Le doute s'empare d'elle. « Je postulerai une autre fois... Et puis, après tout, je ne suis pas ici uniquement pour ça ! J'ai

colligé suffisamment d'informations pour faire un
bon papier pour mon journal populaire et pour dire
la bonne aventure aux vedettes de la télé du quartier.» Sibylle fait marche arrière et quitte rapidement
l'entrée de Radio-Québec, non sans avoir effrayé un
monsieur qui s'amenait lentement à pied en regardant davantage vers le ciel que devant lui. Elle
encaisse le regard de mépris de l'homme qu'elle a
failli écraser.

Une ondée de sueur dégouline sur le front
d'Yvan Laviolette. Il assiste au départ intempestif de
Sibylle. «Merde! cette fille a failli tuer un homme!
Elle aurait pu écrabouiller sa tête d'aristo parvenu!
Quelle bouille il a, ce monsieur aux sourcils pointus!
remarque Yvan, qui aiguise sa mémoire visuelle. Un
jour, je serai cameraman et je ne raterai pas une tête
de ce genre. De la belle et mystérieuse Andalouse
jusqu'à ces sourcils pointus, quel plan-séquence ça
ferait!»

Le Québec est en effervescence, les charpentes
d'acier poussent partout sur l'île de Montréal. On
construit. On crée du travail. Les centrales syndicales
se préparent à la lutte. Les grands journaux sont sous
l'emprise des pouvoirs financiers. Les marxistes s'annoncent. On entend parler de lutte ouvrière partout
et les patrons sont inquiets. «Je suis effectivement
dans un hangar. Ça doit être ici, Radio-Québec.
C'est bien ce que m'a dit Jeannette la semaine dernière. On stocke du tapis ici?» Personne pour
accueillir Yvan. Il guette et commence à douter…
«Mais, où sont les boss! Ça sent plus l'acrylique que
la création.» L'attente est longue.

Au cours d'une soirée dans un café, Yvan avait appris qu'il pourrait trouver du travail à Radio-Québec. Il avait aperçu des filles aux cheveux blonds et longs. Il avait imaginé leur beauté et leurs richesses enfouies sous leurs jupes bariolées de rêves et de liberté. Les femmes voulaient se libérer. Ce soir-là, Yvan avait aussi entendu Bob Dylan chanter *Blowin'in the wind* dans un juke-box et Jean-Pierre Ferland séduire avec *Qu'êtes-vous devenues mes femmes... vous que j'ai tant aimées?* Puis, ce fut au tour de Gilles Vigneault d'entonner un pays à construire. On rêvait d'un pays. Une Westfalia peinte aux couleurs de l'arc-en-ciel, garée devant le café, ajoutait aux beautés de la jeunesse et de l'espoir dans les rues de Montréal. En face, un jeune homme peint des graffitis sur la façade d'un immeuble appartenant à un prêteur sur gages. Une torche électrique dans une main et dans l'autre un pinceau dégoulinant de peinture jaune. Il est debout, en parfait équilibre sur une moto rouge. Le romantisme social commençait à se nourrir de rêves de justice et d'égalité. Les travailleurs voulaient leur juste part du profit. Les universités ouvraient leurs portes aux plus démunis. Les exploiteurs allaient être ébranlés. Les églises se vidaient et les soutiens-gorge devenaient des chiffons. On décapait tout ce qu'il y avait de meubles pour chercher ses origines. C'était la guerre au Viêt-nam et en mai, en France, on s'était lancé des pavés au visage.

La télé du Québec allait naître pendant des moments de grande effervescence. Les techniciens frais diplômés et les inventeurs d'images de toutes sortes trouvaient une nouvelle adresse à laquelle cogner pour contribuer à la création. On allait ajouter de la passion et de la fougue au discours social qui s'annonçait enflammé.

❏

La veille, à l'autre bout de la ville, dans l'ouest, au *Café des Artistes*, Jean-Paul Mallier, un jeune Français débarqué au Québec pendant l'Expo 67, courtise des Canadiens français à l'emploi de Radio-Canada. Jean-Paul, qui habite en pension chez sa sœur, n'a rien du Parisien râleur. Il n'a pas ce regard hautain des franchouillards qui écœurent les citoyens du Québec en les corrigeant sans cesse.

Jean-Paul rêve d'un monde nouveau dans le Nouveau Monde et s'exprime à bâtons rompus sur toutes les questions d'actualité. Il aime dire : « Au Québec, on fait les choses sérieusement en ne se prenant pas au sérieux ! » Un style qui lui colle à la peau. Il ressemble au journaliste français créé par Roger Lemelin dans *Les Plouffe* : prêt à chanter la *Marseillaise* avec un accent québécois. Il n'était pas à l'aise dans la culture rigide de son pays, qu'il a laissé avant la révolution des étudiants et les grandes grèves ouvrières. Vingt heures, Jean-Paul quitte le café branché pour un autre, *Le Wigwam*, où des chansonniers québécois chantent la liberté, la révolte et le retour à la terre. On y est moins maniéré qu'au *Café des Artistes*.

Dans la boîte à chansons, décorée de filets de pêche tendus aux murs comme si le café trônait sur le rocher Percé, aux tables recouvertes de nappes à carreaux bleus, blancs, rouges, à l'éclairage aux chandelles qui embaument le patchouli, il se confie à une jeune fille de dix-huit ans. La rencontre est prometteuse. Devant, au micro, un homme dans la trentaine et à la tête dégarnie comme s'il avait déjà vécu trop longtemps : Georges Dor. Engoncé dans un chandail de laine vert et suffoquant sous les brises chaudes de l'été indien, le chansonnier se tord d'ennui pendant sa complainte. Il chante : « Si tu savais comme on s'ennuie à la Manic tu m'écrirais bien plus souvent à la Manicouagan », une chanson qui rend hommage aux hommes qui construisent le grand barrage de la Manicouagan et qui bravent les mouches noires en rêvant à leurs femmes, leurs amours laissées en ville.

Le mal du pays s'empare du jeune Français, qui partage son *spleen* avec la belle jeune fille dont les yeux bruns brillent sous les feux doux et dansants des chandelles. Ils ont le même âge et échangent des confidences et leurs rêveries. Jean-Paul cause bien. De jolies phrases courtes, attachées serré les unes aux autres. La jolie jeune fille brune a pour papa celui qui embauche les techniciens pour Radio-Québec. Aussi pratique que sentimental, Jean-Paul Mallier entremêle le verbe romantique et l'intérêt pratique. Il décroche un rendez-vous, non pas avec la belle brune, mais bien avec son père, M. Philippe Robillard. Il n'avait pas fait un mauvais calcul, puisque la jeune fille rêvait de partir avec un autre ce soir-là. Jean-Paul s'en retourne au *Café des Artistes*.

« La France ne m'a pas donné ma chance. Ici, tout est à construire. » De petits verres de vin rouge en plus grands verres de rouge, des patrons de Radio-Canada lui promettent un emploi. « Que faire si M. Robillard s'intéresse à moi ? Radio-Canada... Radio-Québec... Radio-Canada ?...»

Toujours dans l'entrée de Radio-Québec, Yvan Laviolette trépigne. Son regard à la fois doux et intelligent scrute dans toutes les directions. « Personne, toujours personne ! Ça fait plus de trois quarts d'heure que je suis planté là, mon diplôme en électronique sous le bras. Où sont-ils, ceux qui embauchent ? Ça sent l'ennui dans cette bâtisse !» Devant lui, assis sur l'unique chaise du hall d'entrée, un homme écrit et dessine sur de grandes feuilles qu'il dépose à ses pieds une fois noircies.

— Est-ce que vous êtes Frédéric Back ? demande Yvan.

— Oui... oui... C'est mon nom.

— Je vous ai reconnu, parce qu'à CKTM, la télévision de Trois-Rivières où j'ai travaillé, j'ai vu un reportage sur vous. Je reconnais votre style.

— Ça me touche, répond l'homme qui allait devenir célèbre en remportant un Oscar à Hollywood pour *L'homme qui plantait des arbres*, un court métrage en animation portant sur une œuvre de Jean Giono.

Le silence se réinstalle entre les deux hommes, Frédéric Back se remet au dessin sous le regard attentif et respectueux d'Yvan. Il observe les gestes de l'artiste qui dessine des cordes à linge suspendues aux galeries des maisons du quartier. Des vêtements flottent au-dessus des ruelles, drapeaux de misère que le vent de septembre entremêle. Sur une autre grande feuille, Back a représenté des religieuses qui sommeillent dans une balançoire. Yvan dirige son regard vers une grande fenêtre pour mieux apercevoir les sujets de l'artiste. « C'est beau cette lumière dans les voiles des religieuses que la brise soulève. » Les sœurs de la Providence ont pour maison de retraite un magnifique immeuble, autrefois un hôpital pour aliénés mentaux, avant de devenir une prison pour femmes.

— Qu'êtes-vous venu faire ici ? lui demande Frédéric Back.

— Je crois pouvoir obtenir un emploi comme photographe à Radio-Québec. Mon travail consistera à tirer des centaines de photos pour des diaporamas éducatifs.

— Bien... bien... jeune homme, dit doucement l'artiste. Nous allons sûrement travailler ensemble puisque je suis ici pour des raisons semblables. J'ai un contrat pour collaborer à ce genre de choses.

— J'aimerais beaucoup ça. Je trouve vos dessins inspirants et beaux. En vous observant et en regardant partout dans le quartier, je m'entraîne à cadrer... je cherche les nuances de la lumière. Un jour, j'aimerais bien aussi tourner à l'étranger, travailler avec des réalisateurs de documentaires... Dans les journaux, on dit que Radio-Québec va coproduire avec des télévisions étrangères. On raconte aussi qu'on va tourner sur les grands scientifiques, les grands historiens. Il paraît qu'on met en place une belle série pour enfants que va diffuser Radio-Canada. Ça s'appelle *Les Oraliens*. Et il y en a une autre en production qui s'appelle *Si le langage m'était conté*. Ils enregistrent dans des studios privés, puisque ici tout est en construction.

— Vous avez tout devant vous. Il faudra ajouter l'imaginaire à la réalité. Ce que je fais tous les jours pour éviter la banalité. J'imagine qu'il en sera de même pour vous. Il faut toujours se méfier des réalistes. Dans la nouvelle télévision du Québec, il vous faudra toujours vous battre pour un tout et pour un rien. Je ne sais pourquoi, mais c'est toujours comme ça, la création. Les techniciens des années à venir vont devoir se transformer en artistes. Et les artistes, s'appliquer à maîtriser des technologies modernes sans jamais renier le crayon, la plume et l'encre. La seule façon d'aller vite pour un véritable artiste, c'est de prendre son temps. Vous devrez croiser les valeurs anciennes avec celles de cette partie de fin de siècle. Vous aurez le privilège de ramasser des milliers d'images et de mots partout dans le Québec et dans le monde.

Soudain, une voix qui n'a pas les tonalités de la timidité se répandit comme un coup de tonnerre dans le hall de Radio-Québec. Celle de Mme Muguette.

— Monsieur Laviolette, pouvez-vous venir, s'il vous plaît?

Martine Muguette, des écouteurs téléphoniques coincés dans son chignon, s'avance au pas de charge. Le fil du téléphone flotte sur le plancher de ciment frais peint. Cette femme qui sait tout et rapporte tout déteste ne pas être la première à annoncer une nouvelle, bonne ou mauvaise. Dans les deux cas, elle arbore un large sourire.

Mme Muguette s'exclame, comme s'ils étaient des centaines à faire le pied de grue pour obtenir un emploi :

— C'est à votre tour, monsieur Laviolette !

Yvan surgit d'un carré de plantes vertes en plastique toutes fraîches reçues gratuitement des services de la fonction publique du Québec. Mme Muguette doit trouver le jeune visiteur non seulement beau, mais courageux. Il est très difficile de recruter des techniciens, Radio-Québec étant déjà victime d'un lot de préjugés qui s'amoncellent dans les journaux et sur la place publique. Que faire d'une télé québécoise ? Était-ce nécessaire ? Elle ne produira que des émissions éducatives pour les réseaux privés et publics ! Elle est infirme, sans voix, sans antenne !

— L'Honorable juge vous attend, monsieur Laviolette !

Muguette a adopté un ton sentencieux depuis qu'elle travaille pour le juge. Elle est très fière de son rôle, qu'elle interprète au gré de ses humeurs, avec des petits gestes de tendresse qui ressemblent à ceux d'une mère. Yvan a toujours su s'adapter aux situations compliquées. Il décoche un sourire craquant en direction de Muguette. Dans les yeux, un petit air victorieux, comme s'il savait d'avance qu'il allait être sélectionné. Il est effectivement embauché sur-le-champ. Et avec une volée de compliments, comme s'il était l'auteur d'un chef-d'œuvre. « Ça commence bien ! » L'emploi a été obtenu si vite. Tout a été trop facile.

Et, pendant un échange de politesse avec Muguette :

— Dites-moi, madame, ce sera quand, mon premier chèque de paie ?

— Ça… c'est pas pour demain, mon beau petit gars !

Le doute s'installe. « Suis-je dans un malentendu ? » se demande Yvan. La fonction publique vient d'asséner un premier coup de masse sur la fougue d'Yvan Laviolette. Les tracasseries administratives s'annoncent. Mais quel honneur attend le nouvel employé ! Il fera l'objet d'un arrêté ministériel rédigé sur du papier parcheminé et son nom sera prononcé à l'Assemblée nationale, comme s'il avait combattu les Anglais aux côtés de Montcalm, bataille outrageusement perdue, au fait. L'honneur maintenant, l'argent plus tard. Assez pour assouvir le rêve d'une belle voiture. La vie s'annonce compliquée, mais pleine de surprises.

❏

C'est ainsi que commença l'histoire d'un malentendu entre des jeunes hommes chargés d'espoir et de passion et une télé qui allait apparaître, Radio-Québec. Le 22 février 1968, le premier ministre Daniel Johnson avait sauté sur l'occasion et dépoussiéré un projet ô combien essentiel et vital pour la survie de la culture québécoise ! Le nouveau projet de loi concernant la radiodiffusion au Québec qu'avait fait rédiger Maurice Duplessis en 1945 ! Dans un geste de fronde et de provocation, Johnson avait décidé que le Québec allait avoir sa propre télé pour lutter contre un gros Radio-Canada qui en imposait au nom du gouvernement du Canada à des Québécois en pleine Révolution tranquille. L'aventure des jeunes hommes dans une institution naissante n'aurait rien de tranquille. Le grand triangle passion, création, patrons s'installait et le brouillamini administratif s'enclenchait.

LA MORT DU PREMIER MINISTRE

Coin Berri et de Montigny, 6 h 30 du matin. Gilles Fleurant écoute attentivement le lecteur de nouvelles de CJMS, la très populaire station radiophonique de Montréal. « Premier octobre 1968, le premier ministre Daniel Johnson est mort dans son sommeil. Il devait inaugurer le barrage de la Manicouagan ce matin. C'est la consternation à La Manic. L'Honorable Daniel Johnson a succombé à une crise cardiaque. Il serait décédé vers 4 heures la nuit dernière. »

Gilles est touché par l'événement. Johnson n'était au pouvoir que depuis quelques mois, mais avait eu le temps de contrarier le gouvernement du Canada en clamant : « Ce sera l'égalité ou l'indépendance pour le Québec ». Il avait bousculé les pouvoirs politiques fédéraux et provoqué le premier ministre, Leaster B. Pearson, et le futur premier ministre du Canada, Pierre Elliott Trudeau.

Les dépêches crépitent sur les téléscripteurs gris placés dans des caissons de vitre. Habituellement, Gilles maudit ces machines qui brisent le silence nécessaire aux bonnes prises de son. Mais là, les crépitements n'ont plus d'importance. Les portes du studio A sont ouvertes à un incessant va-et-vient d'invités. Ils viennent tous commenter la mort du premier ministre. L'un d'eux se demande si Radio-Québec n'est pas un enfant mort-né : « On peut s'attendre à la mort d'un Radio-Québec naissant avec la disparition du premier ministre Johnson, son créateur. Son successeur va sûrement abandonner ce rêve un peu trop nationaliste. »

À 8 h 15, Philippe Robillard roule sur la rue Sainte-Catherine, en direction de Radio-Québec, son nouvel employeur. Cet homme au regard tendre et déterminé a tout d'un personnage de Georges Simenon, avec son style pattes de velours à la Maigret. Il cherche à mettre sur pied une équipe, à débusquer des techniciens prêts à se lancer dans l'aventure de la future télé du Québec. Au coin de Saint-Hubert, un crieur du *Montréal-Matin* tenant une édition spéciale du journal annonce l'événement : « LE PREMIER MINISTRE N'EST PLUS ». « Pas de chance ! pense Philippe Robillard. C'est ma première journée de travail ! »

M. Robillard tourne le bouton de sa radio. « Malentendu que cette télévision », déclare un auditeur à une tribune téléphonique. « Est-ce que je me suis trompé en quittant un bon poste à Radio-Canada ? se demande Robillard. Mon nouvel employeur va-t-il fermer ses portes avant que je me présente ? Je me suis peut-être trop avancé en incitant des jeunes techniciens à venir travailler à Radio-Québec avec moi ! » Mais nulle inquiétude ne transparaît dans son regard brun, pas un sourcillement ne modifie les traits fins de son visage.

Sur toutes les stations radio, on commente la carrière et les réalisations de feu Daniel Johnson. Toujours présent à son poste d'ingénieur du son à CJMS, Gilles Fleurant entend d'autres commentaires au sujet de la création de Radio-Québec, station de télé prometteuse où il veut aller travailler. Neuf ans qu'il est en poste à CJMS, où il a acquis un statut de star. « Si Gilles n'est pas au son, il n'y aura pas de show ! » a l'habitude de dire Yvan Ducharme, une vedette de la radio qui se spécialise dans les drôleries. Les vedettes de la chansonnette insistent pour que Gilles Fleurant soit le preneur de son. Les lecteurs de nouvelles ne jurent que par lui. Il assure aussi la diffusion des matchs de football américain. Gilles trouve la vie professionnelle trépidante et valorisante, mais son salaire est inversement proportionnel à son succès. La pitance est maigre à la radio. Il songe à faire une petite visite dans l'ancien entrepôt de la Dominion Oilcloth, l'entreprise de prélarts et de tapis où loge le Radio-Québec naissant.

Les réalités de la radio commerciale sortent Gilles Fleurant de ses cogitations. Son patron s'agite derrière la vitre du studio. Gilles comprend qu'il est temps d'actionner le tourne-disque sur lequel attend une chanson américaine, *The Great Pretender*, par les Platters. Le patron était intervenu plus tôt pour dire que la mort chasse les auditeurs et qu'il fallait garder le rythme. « La mort, l'amour et le rock & roll, faudra doser ce matin… La vie continue. Et surtout, n'oubliez pas les spots publicitaires de Maytag. Ce sont ces merveilleuses machines à laver qui paient votre salaire… et le mien ! »

De quoi faire rêver Gilles Fleurant, qui déteste mettre en ondes ces pauses commerciales bas de gamme. Même avec son statut de vedette à la radio, Gilles n'aurait jamais osé remettre en question le revenu apporté par Maytag. À la télé publique, ce sera autre chose, promet-on partout. Il n'y aura pas de pub. Le monde sera net, net, net...

❏

Au 2222 de la rue Sainte-Catherine Est, trois personnes sont assises sur les marches de ciment. Elles sont venues remplir des formulaires d'embauche. Sibylle est là. Elle veut recueillir les commentaires et connaître les réactions du nouveau personnel de Radio-Québec. Elle a décroché une pige, pas payante, pour un journal communautaire : recueillir des informations sur l'implantation d'une télévision publique dans un quartier ouvrier. Personne n'a voulu la recevoir. Tout est confidentiel. «Attendez l'ouverture officielle!» a-t-on dit à Sibylle. Pourtant, il lui semblait que le jour de la mort du créateur du réseau serait une bonne occasion de faire parler les employés. Une directive émanant d'un haut fonctionnaire et reçue par télex avant l'ouverture des portes interdisait tout commentaire.

— Ça vient d'un monsieur bien pointu et bien sec, ose dire du bout des lèvres Muguette à Sibylle. Il vient souvent ici. On nous surveille...

— Un jour, il faudra me parler et me recevoir, réplique Sibylle. J'aimerais travailler ici. Journaliste, recherchiste, comédienne... j'ai beaucoup de talents!

Et puis, j'ai des contacts, vous savez! Je connais un technicien important qui travaille ici...

— Et qui est-ce, ce technicien inconnu? demande la réceptionniste.

— Voilà, vous venez de prononcer son nom : le Technicien Inconnu, c'est son nom. Au fait, qui est ce fonctionnaire zélé et pointu dont vous parlez?

Sibylle n'obtient pas de réponse à sa dernière question. Mme Muguette ouvre la porte afin d'accueillir Philippe Robillard, qui trouve regrettable qu'on n'accorde pas davantage d'attention à la charmante jeune femme.

Un petit coup de fil

Debout devant une fenêtre, au quinzième étage de l'édifice d'Hydro-Québec, Mme Bouchard est impatiente d'annoncer la nouvelle à son fils Jean. La baie vitrée lui renvoie une image souriante. Ses yeux brillent. Dans sa main droite, un bout de papier arraché au babillard. De l'autre, le combiné du téléphone qu'elle agite devant sa bouche.

— Jean, c'est ta mère! J'ai vu une annonce dans le hall d'entrée de l'Hydro... tu sais sur le babillard, à gauche de l'ascenseur que le premier ministre Johnson utilisait pour monter à son bureau. Ça tombe bien puisque c'est lui qui avait annoncé la création de Radio-Québec.

— Et qu'est-ce que c'est que cette annonce? demande posément Jean.

— C'est que la nouvelle télé du Québec est à la recherche de personnel, surtout de techniciens diplômés. C'est ton cas. C'est une job faite sur mesure pour toi! Et puis, y a la sécurité... Tu pourrais être dans la fonction publique.

Voilà pourquoi Jean Bouchard est présent dans l'ancien entrepôt où l'odeur du neuf remplace peu à peu celle du vieux. Il postule. À dix pas, Jean-Paul Mallier, le Français, fait de même. Tous deux vont passer un test. Bien que confiants en leurs chances de réussite, chacun nourrit quelque doute.

Jean Bouchard est parfaitement coiffé. Une petite raie sépare ses cheveux sur la gauche. Ses mains sont fines et ses gestes aussi précis que délicats. Il est très bien préparé, avec en poche un diplôme en électronique. Empreint de bonnes manières et d'une voix très douce, il demande à rencontrer un dirigeant en reluquant du côté du bureau du juge, qui a prolongé son heure de dîner jusqu'à ne plus revenir ce jour-là. Jean impressionne Muguette, qui a noté pour le juge Guérin : «Jean Bouchard fait sérieux. On sent que l'on peut compter sur un garçon comme celui-là. Tout est en ordre sur sa personne.»

C'est Philippe Robillard qui accueille Jean Bouchard. Les deux hommes font connaissance. Ils discutent de perspectives d'avenir. «Ma mère a raison. C'est ma place, ici. Presque un miracle, cette rencontre. Ç'a été agréable !» pense-t-il en quittant le 2222, rue Sainte-Catherine, direction est. Il passe devant l'église Saint-Vincent-de-Paul. Le glas sonne. On va présenter à Dieu un inconnu dont le cercueil est en train d'épuiser des porteurs essoufflés. Dans le cortège qui pleure le disparu, un chapelet de vieillards.

«Moi, toute ma vie est devant moi.» Jean opine légèrement de la tête pour saluer les proches du mort, qui remarquent sa jeunesse rayonnante. «Deux joyeux événements dans la seule journée du 28 octobre 1968. Je décroche un emploi et j'ai vingt et un ans aujourd'hui. Le petit coup de fil de ma mère a porté des fruits. C'est à croire que Jacques Brel va venir chanter l'homélie du mort avec «au suivant… au suivant… au suivant» tellement la journée semble magique!» Pourquoi pas, puisque en 1968, Brel effectue sa tournée d'adieu à Montréal.

Jean-Paul Mallier quitte Radio-Québec et suit de près Jean Bouchard. Le regard du jeune Français s'attarde un moment sur une Camaro verte. C'est Yvan Laviolette qui fait crisser ses Michelins en sortant du stationnement de Radio-Québec, pas vraiment plus grand qu'un timbre-poste perdu entre les trous dans l'asphalte. «L'autobus, c'est ma seule malchance aujourd'hui, se dit Jean-Paul. Elles sont de fort mauvais goût, ces voitures américaines, mais le gars qui conduit celle-là a une tête sympa.» Jean-Paul prend son mal en patience. Il guette l'arrivée de l'autobus qui le fera attendre presque une heure devant l'entrepôt d'arachides Lalumière et fils. L'autobus 15, à moitié rempli d'hommes en salopettes bleues, embaume la bière. Ça sent le houblon et la mélasse. Les ouvriers de la brasserie Molson viennent de terminer leur quart de travail.

Ce soir-là, Jean-Paul est allé jusqu'au *Café des Artistes*. Il aurait raconté entre autres effusions de bonheur:

— J'ai passé le test les yeux fermés! Je reste au Québec, c'est décidé! On m'a offert un coffre à outils, et tout autour de moi, des studios à achever, des boîtes à faire des images. Ils appellent ça l'«implantation». Je veux être dans le coup. On enregistre déjà. C'est pas encore de la télé, c'est de la radio, et le réalisateur, vous le connaissez? Je vous le donne en mille!

Pas de réponse. Jean-Paul enchaîne:

C'est Hervé Brousseau, le chanteur. Celui qui

chante : *J'ai mis ma bottine à l'envers.* L'émission s'intitule *En remontant la rivière.* Dans ces circonstances, les amis, moi, j'ai le goût de remonter la rivière avec la télé du Québec. C'est ici que ça se passe ! lance-t-il péremptoirement à l'auditoire suspendu à ses lèvres.

Ils attendaient tous des nouvelles de sa visite dans l'est de la ville.

— En France, cela aurait été impossible d'obtenir un emploi aussi facilement ! Mais l'oseille, y en aura pas beaucoup... ça paie pas cher à la télé québécoise. J'ai l'impression d'entrer dans l'histoire. On va pas se gêner dans cette télé : dire ce que l'on veut à qui l'on veut. J'imagine que ça va être ça, l'oseille d'Amérique... Vive le Québec et vive la vie !

— Qui as-tu rencontré et qui t'a embauché ? demande l'un de ses voisins de table.

— C'est Philippe Robillard, votre ancien collègue. Ça n'a duré que quelques secondes et il ne m'a pas laissé le temps de choisir. Il m'a dit : « Allez, viens à Radio-Québec. Tu auras plus de chance d'y faire ta place qu'à Radio-Canada. Tes rêves d'immigrant seront mieux servis sur les plateaux de la télé québécoise. Tu es le bienvenu au Québec. » J'aurai sûrement plus de chance de réussir ma vie sur le coin de Sainte-Catherine et Fullum que sur la Croisette à Cannes.

C'est ce qu'aurait déclaré Jean-Paul Mallier en trinquant avec d'autres Français restés songeurs de ne pas avoir tenté leur chance dans une nouvelle télé. Il serait cependant resté muet lorsque l'un de ses compagnons de table lui demanda :

— Comment vas-tu annoncer aux boss de Radio-Canada, qui sirotent un verre au bar, que tu as un emploi à Radio-Québec ? Ils se sont vantés que tu allais travailler pour eux !

Ce jour-là, c'était aussi l'arrivée du vin nouveau. On raconte que Jean-Paul est rentré chez sa grande sœur à l'aube, avec en tête le goût d'attendre que le soleil se lève, avant de se laisser vaincre par le sommeil.

Marcel Eusanio, dix-neuf ans, s'est mis beau. Il est en complet cravate sous un lourd parka acheté au surplus de l'armée. Il a l'air contrarié et content à la fois. C'est le mot d'ordre, aujourd'hui : «Tout le monde doit être sur son trente-six!» a ordonné le juge, le président de Radio-Québec. Ce matin-là, Marcel a relu plusieurs fois le journal *Le Devoir.* «Quelle étrange coïncidence, moi, qui ne suis encore que planton, voilà que je porte la nouvelle annonçant l'inauguration officielle de Radio-Québec. Faut que je me souvienne de cette date : 22 février 1969.» Muguette lui avait demandé d'acheter plusieurs dizaines de copies du grand quotidien canadien-français fondé par Henri Bourassa.

— Alors, Marcel, tu en as combien, d'exemplaires? On va en distribuer dans les bureaux, tout le monde va être content. C'est un grand jour pour nous... On parle en bien de Radio-Québec et le juge... esssscusez, Monsieur le président veut que ça se sache.

— Désolé... y sera pas content, le président-juge!

— Comment ça, le juge sera pas content ? On dit du mal de nous ?

Marcel a le visage complètement givré. Répondre lui demande un gros effort. Il a visité tous les dépanneurs du quartier pour acheter des copies du quotidien. Il fait moins vingt et un Farhenheit. Le ciel, d'un bleu pur, est balayé par des vents venus du Grand Nord apportant un froid sibérien.

— Non... on ne dit pas du mal de nous !

— Prends ton temps, mon beau petit Marcel. Ça me rend malheureuse de t'avoir demandé de parcourir le quartier par un temps pareil ! Et dis-moi, pourquoi le juge ne sera pas heureux ?

— Je n'ai trouvé qu'une seule copie du *Devoir*.

Personne ne vend ce journal, ici. Ça n'intéresse pas le monde, des journaux sans photos où l'on parle trop de politique. Y a plus de revues cochonnes au pied carré chez les marchands qu'il y a de pigeons sur les toits. Et croyez-moi, y en a, des pigeons.

Marcel enlève son parka, dont il est si fier, en obliquant du regard vers son épaule droite. Un pigeon a fait ses besoins matinaux sur l'épaule du planton de Radio-Québec.

— Bien mauvais présage, dit Muguette. Une chance que le premier ministre Jean-Jacques Bertrand ne s'en vient pas à pied. Tu vois ça, mon beau Marcel... tu imagines le titre dans le journal de demain : « Des pigeons ont éclaboussé la tête du premier ministre Bertrand au moment de faire sa visite à Radio-Québec ! » Quelle histoire ça ferait ! Quand on pense que le slogan au Québec, ces temps-ci, c'est *Le Québec sait faire !*

— Et pourquoi pas que le premier ministre croiserait des robineux ? J'imagine que le journaliste soulignerait qu'il a fallu demander à nos soûlards sociaux de le laisser passer...

— On dit « clochards », Marcel. Tu travailles dans une télé éducative. On va produire des milliers d'heures afin que les enfants apprennent à parler correctement.

— Il est plus facile de parler correctement lorsqu'on n'a pas la gueule gelée. Clochards... clochards... Un changement d'appellation ne changera pas leurs conditions de vie. Ils étaient tous regroupés en cercle sous le pont Jacques-Cartier. Tous accroupis sur une sortie d'air chaud, sûrement des restants de chaleur soufflés par l'immeuble de la Régie des Alcools. C'est en causant avec eux que j'ai reçu les hommages d'une des bêtes volantes qui infestent le bas de la ville. J'ai pourtant pas la tête du premier ministre, même si tous les deux on n'est pas très grands. Si le premier ministre passait par là au lieu de s'en venir dans sa limousine, il pourrait inviter les robineux à la fête. J'aimerais qu'on tourne quelque chose sur la vie des démunis. Le peuple ne va pas s'intéresser à Radio-Québec si on ne s'intéresse pas à lui.

Mme Muguette recule. Elle est à la fois ravie et dérangée par le discours de Marcel.

— Tu parles vraiment bien, toi ! Es-tu communiste ?

— Non, je ne suis que conscient. On voit des communistes partout, ici. On mélange tout au Québec : communistes, indépendantistes, maoïstes...

Tout ce qui finit en -*iste* est suspect. Et moi qui veux devenir perchiste, ça va être beau ! On n'est pas sortis de l'auberge. Éduquer le monde… Éduquer, c'est souvent dénoncer, madame Muguette. D'ailleurs, les journalistes craignent que Radio-Québec ne soit qu'une tribune au service des hommes politiques. Ils parlent d'un triumvirat qui va nous diriger, décider des émissions. On a construit de beaux studios et librement… reste maintenant à voir la liberté en programmation !

Marcel aborde le sujet du jour. En éditorial, *Le Devoir* déplore que Radio-Québec ne puisse pas diffuser ses émissions. Le nouveau poste n'a pas l'autorisation du gouvernement du Canada. Il n'a pas de licence de diffusion. Les productions éducatives devront êtres diffusées par les réseaux privés. Le juge s'en est plaint lui aussi. Il veut faire partager à tous ses ambitions pour la nouvelle télé du Québec. « Les grands réseaux transmettront la connaissance de New York à Paris par satellite. Radio-Québec sera de la partie.» On reçoit des visiteurs de France et d'autres pays étrangers. Sur Fullum, entre les odeurs de bière et d'arachides, on rêve de conquête sur les grands champs de bataille de l'audiovisuel.

Mme Muguette a disparu. Des sirènes de police l'ont alertée. La limousine du premier ministre approche. Mille personnes l'attendent dans les nouveaux studios de la télé éducative. On a déroulé le tapis rouge. Le regard de Marcel est attiré par une très belle jeune femme. C'est Sibylle. Elle s'est présentée trois fois ces dernières semaines.

— Bonjour, Sibylle. On se voit souvent !

— En effet, je viens pour un petit reportage que je vais publier dans les prochains mois dans *Le Monde d'Hochelaga-Maisonneuve,* où je suis la seule et unique reporter.

Marcel est content de rencontrer quelqu'un qui bûche dans le petit journal du quartier, qui n'est distribué que sur la rue Sainte-Catherine, de Fullum à Saint-Clément. Ce sont des enfants, des écoliers qui le glissent dans la boîte aux lettres des demeures. Les nouveaux patrons de Radio-Québec en veulent toujours une copie.

— Je suis journaliste bénévole. Je paie avec des sous que je n'ai pas pour faire mon boulot de journaliste communautaire engagée ; essence, malbouffe, etc. Je suis aussi ici par intérêt. Ça regorge de vedettes et de patrons de télé, ici. J'aimerais ça animer une émission sur les qualités divinatoires des êtres humains. Nous entrons dans une nouvelle ère. Tout va changer. On a plein de potentiel en nous et il me semble que la télé éducative doit jouer un rôle là-dedans. Et puis, je ne vais quand même pas gagner ma vie qu'en lisant l'avenir des gens dans des tasses de thé. Je me sens comme une mendiante lorsque je travaille au café *La Caricature.* J'en ai ras le bol de mettre mon art au service des gens qui veulent connaître leur avenir et de constater qu'ils n'en ont pas ! Ici, à Radio-Québec, il y a de l'espoir. On en parle partout. Et j'aime ça, travailler avec des gens qui maîtrisent la technique… Je rêve d'universel, de communication et même d'espace. Tu te rends compte, Marcel, au moment où *Apollo 9* s'apprête à aller tourner autour de la lune... tout est devant nous. Ça m'enivre, tout ce qui se passe ici !

— T'as raison. Tu vas pouvoir t'enivrer, si tu le veux, aujourd'hui. Hier soir, il est entré soixante-deux caisses de bière, dix-sept caisses de vin blanc et deux bouteilles de champagne, sans compter les sacs de bretzels et de chips qu'on réserve aux employés. Les petits fromages français sont pour les ministres et les patrons... C'est la fête, quoi !

Le bruit des sirènes s'amplifie. Denis Bélanger, cameraman, tient son appareil pointé comme un tireur qui attend le gibier. Cinq jours seulement qu'il travaille à Radio-Québec et, déjà, il est à la caméra afin de capter, pour l'histoire, les images de l'inauguration. Yvan Laviolette prend des photos. Jean-Paul Mallier tire les câbles et commente l'arrivée des dignitaires pour ses collègues techniciens. Il les connaît tous par leur prénom et décline leurs fonctions. Seul un curieux fonctionnaire aux sourcils pointus reste une énigme. Ce monsieur a passé plusieurs heures dans les bureaux du juge les jours précédents.

— C'est l'un des conseillers du premier ministre, chuchote Yvan Laviolette. Je crois qu'il rédige ses discours. Je l'ai vu pour la première fois lorsque je travaillais à la télé à Trois-Rivières. Un grand nerveux ! On le dit farouchement antisyndical. Et il semble qu'il a donné des directives claires à la direction : « Ne vous laissez pas infiltrer par les syndicats ! »

— Ah ! bon. Vraiment nerveux ! Eh bien, il va gigoter encore plus tout à l'heure... le Technicien

Inconnu est en train de colliger un tas d'informations sur lui ! déclare Jean-Paul.

— Ben... C'est qui, ça, le Technicien Inconnu ?

— Voyons, Yvan, quelle question ! Si je savais qui il est, il ne serait pas inconnu !

— Ah ! bon. C'est quoi, sa job, au techno inconnu ?

— Confidentiel ! Mais des rumeurs racontent qu'il est organisateur syndical... Il serait très, très près de Sibylle, la diseuse de bonne aventure... Tu sais, c'est une fille de caractère, très engagée socialement. Elle militerait dans des mouvements de gauche du Québec. C'est une passionnée. C'est elle qui rédige le petit journal de quartier, *Le Monde d'Hochelaga-Maisonneuve.*

— Très romantique, la vie qui nous attend ici. C'est excitant, ça !

— Quoi ? réplique Jean-Paul. La fille, la diseuse de bonne aventure ou la militante ?

— Les trois, mon cher Jean-Paul... On va avoir du plaisir dans les prochaines années.

Denis Bélanger désigne du regard à ses compagnons l'entrée du stationnement de Radio-Québec. L'un des motards qui précèdent la voiture du premier ministre est coincé avec sa Harley Davidson dans un banc de neige qui obstrue l'entrée. Il n'a pas l'habileté du jeune motard qui a traversé à grande vitesse avec sa Triumph rouge le mur de neige. Les techniciens ont été tentés d'applaudir l'exploit. Dans sa chevauchée, il a laissé s'échapper un contenant de peinture ocre qui a fait une tache comme un soleil dans la neige, aux premières heures de cette journée grise. Une souffleuse à neige, dont l'opérateur ignorait sûrement la visite de l'homme d'État, a laissé une lisière de glace et de neige en dents de scie au mauvais endroit. Alerté par radio, le chauffeur du premier ministre a stoppé la grosse Lincoln noire devant le couvent de la Congrégation Notre-Dame, à mille pieds à l'est. Les religieuses, qui avaient entendu la nouvelle de la venue du premier ministre dans le quartier, s'étaient agglutinées aux fenêtres, dont, malgré le froid, certaines étaient ouvertes. Les sœurs agitaient deux drapeaux : le fleurdelisé et celui qui porte les couleurs du Vatican. On se serait cru à un défilé de la Saint-Jean-Baptiste à moins vingt Fahrenheit.

— Je trouve que les religieuses sont perspicaces en agitant le drapeau papal, confie le chauffeur de la limousine à son premier ministre.

— Et pourquoi donc, cher ami ?

— L'immeuble qui a été loué par Radio-Québec appartient au Vatican. Observez les murs extérieurs de l'ancien entrepôt de tapis. Les briques y sont disposées de manière que des croix apparaissent subtilement. L'Église laisse toujours sa marque. On en paie encore le prix dans notre histoire.

— Époustouflant, ce que vous me dites... Juste au moment où le Québec cherche à se libérer du fardeau que nous ont imposé les messeigneurs et toute une armée de curés pendant trois siècles, voilà qu'on trouve le moyen d'installer la télé éducative moderne du Québec dans une fausse église... Ça va finir par se retrouver dans le journal, cette affaire-là. J'espère que les choses ont été faites dans les formes !

— Le comble, monsieur le premier ministre, serait qu'un cardinal bénisse l'immeuble pendant votre discours !

— Parle-m'en, de mon discours ! J'essaie de l'apprendre et je n'y arrive pas.

Et il reprend d'une voix complice et faible :

— Mon conseiller, que vous appelez Sourcils Pointus, m'a écrit une diatribe à endormir les invités qui m'attendent. Il a peur de tout, ce gars. Tout ce qui dérange l'ordre établi lui froisse le front en permanence, comme s'il était assailli par des angoisses secrètes. Il passe son temps à dire que Radio-Québec va être envahie par une jeunesse qui ne pense qu'à l'amour libre.

— Il ne va sûrement pas bien, votre conseiller, monsieur le premier ministre. Moi, je ne pense qu'à ça, l'amour, et même à l'amour libre… Je m'en porte fort bien. D'ailleurs, il va y avoir de très jolies filles à cette inauguration, dit-il au premier ministre, qui salue au passage les religieuses tremblant de froid aux fenêtres du couvent.

— C'est dégagé, monsieur le premier ministre. On y va !

— Très bien, cher ami. Allons-y. Pendant le discours, restez dans mon champ de vision et, si j'endors tout le monde, regardez au plafond, je comprendrai. Je ne veux pas qu'on me surnomme « Somnifère ».

— Ça va être difficile, monsieur le premier ministre…

— Et pourquoi ?

— Y paraît que le plafond du studio où l'on va

est plutôt bas. On aurait voulu économiser de l'argent et surtout achever la construction pour aujourd'hui. Votre conseiller, Sourcils Pointus, aurait dû vous le dire. Il a reçu un télex d'une personne qui se fait appeler le Technicien Inconnu et qui dénonce le *butchage* des travaux. Le premier ministre Bertrand est tout souriant. Il écarte volontairement la moitié des feuilles du discours et les laisse tomber sur le plancher de la voiture.

— Ça me fait doublement plaisir, ce que vous me dites. Un, ça occupe mon ténébreux conseiller et deux, ça me ravit que quelqu'un pense à faire des économies dans la nouvelle télé du Québec. Ils auraient même fait venir des caméras usagées du Mexique pour commencer la production. Quel drôle de monde, les gens de la télé. À les entendre, on va se répandre dans le monde entier avec les émissions produites ici. Peut-être suis-je dépassé et la politique empêche-t-elle de rêver... Enfin, allons-y. Tous ceux qui me parlent de télé ont toujours l'air de chanter une chanson qui commencerait de la façon suivante : « J'aurais voulu être un artiste, pour pouvoir faire mon numéro... » Le peuple québécois mange encore des sandwichs à la moutarde... Je me demande où on va trouver l'argent pour réaliser tous ces rêves. Dites, mon bon ami le chauffeur, essayez de savoir qui est ce Technicien Inconnu et, si vous le trouvez, lancez Sourcils Pointus à ses trousses. J'ai besoin qu'il me fiche la paix, ces temps-ci !

« Neuf d'un coup et le jour le plus long ! » titre *Le Monde d'Hochelaga-Maisonneuve*, dans son numéro de septembre 1969. Sibylle publie un long papier sur l'arrivée de neuf nouveaux techniciens à Radio-Québec. Son texte hésite entre la poésie et le journalisme batailleur et elle ajoute des petits commentaires sortis tout droit de son imaginaire de diseuse de bonne aventure. Sœur Isabelle Galtier est heureuse. Elle, qui a mis des années à soigner un chagrin d'amour chez les religieuses, achève d'imprimer le journal avec la petite rotative que le Technicien Inconnu de Radio-Québec lui a offerte.

Les papiers de Sibylle la réjouissent toujours. Elle s'en sert pour les cours de grammaire et d'orthographe qu'elle donne aux enfants du quartier. Ensemble, ils écrivent des rôles pour des séances dans lesquelles les écoliers trouvent de nouveaux mots et du bonheur : « On n'a plus les séances qu'on avait ! »

On fait du théâtre expérimental dans le Faubourg-à-m'lasse. Sœur Galtier et Sibylle se ressemblent du cœur et des yeux.

— Je vais devoir adapter ce texte. Les enfants vont le jouer dans quelques semaines. On créera une douzaine de personnages. Chacun déclamera pourquoi il doit décrocher un emploi. Neuf seront choisis. On fera deux piles de formulaires d'emploi remplis ; une pile avec ceux qui auront été choisis et une autre avec ceux qui n'ont pas été retenus. Et, par maladresse, l'un des personnages mélangera tout. Celui-là, je l'appellerai le « technicien inconnu ». Ce sera le plus romanesque de tous. Je m'inspirerai de celui de Radio-Québec, un beau grand à la chevelure dorée qui tombe sur ses épaules de dieu grec.

La religieuse examine la photo publiée en première page du journal. Neuf jeunes hommes alignés, en habit du dimanche, posent fièrement devant le 2222 de la rue Sainte-Catherine Est. Elle sourit en notant que bon nombre portent des lunettes noires.

— Des techniciens encore mieux habillés que des sous-ministres. Ça doit être sérieux dans cette boîte !

Sœur Galtier prend une grande respiration et entreprend de lire à haute voix le papier de Sibylle. « Voyons voir si ça se raconte bien, cette histoire… Et pourquoi pas une comédie musicale ? » Elle s'installe sur le banc de son piano mécanique et, comme une pluie fine, elle pianote les premières mesures d'une mélodie de Claude Léveillée : *La scène.* En chantant, elle ajoute d'autres strophes au texte du chansonnier :

Des beaux loups.
Neuf d'un coup
Sont arrivés sur la scène.
Pour faire des images
Qui vont traverser des nuages.
Derrière le rideau

Ne seront pas toujours sages
Ils verront l'amour, la haine s'entrecroiser.
Certains iront au bout du monde.
D'autres, en première place
Devant la scène
Capteront des mots, des joies, des peines.
Ils verront des choses étranges...

« Bon, ça ira, je pense. Au travail maintenant ! » Sœur Galtier prend d'autres notes à partir de l'article de Sibylle, qui s'est longuement attardée dans son texte sur le récit du technicien Benoît Bergeron. En sous-titre : « Le jour le plus long ». « Ma première journée de travail à Radio-Québec a été la plus longue de ma vie. On m'a fait attendre des heures et des heures avant de me confier un boulot. Moi, un ancien garçon de ferme et fils d'agriculteur, je suis habitué à travailler dur dès les petites heures du matin. On a fait des tours et des tours dans l'immeuble, j'attendais et j'avais hâte. Je pense que l'arrivée en gang a créé la première congestion administrative de Radio-Québec. J'ai eu la surprise de rencontrer Jean-Marc Dominique, un ancien camarade de l'Institut Teccart où l'on a appris le b.a-ba de l'électronique. Philippe Rioux était là aussi. Cet ancien bûcheron a ronchonné. Il en avait plein le casque d'attendre. Philippe est superpatient lorsqu'il est à la pêche, mais là, en pleine ville, c'est long l'attente dans un habit propre en faisant des petits saluts polis à tous et à toutes. »

Sibylle a consacré presque une demi-page à un autre jeune homme qui s'appelle Jean-Louis

Paquette. Elle s'amuse à prédire son avenir. « Toi, mon cher Jean-Louis, à la santé que tu crois fragile, tu possèdes un cœur d'enfant. Tes peurs te rendront créatif. Tu seras le premier des neuf à partir vers des pays lointains. Tu apprendras les rudiments du métier de faiseur d'images aux Africains. Tu seras terrorisé par les scorpions des sables d'Afrique, mais tu vivras très longtemps, si longtemps qu'en l'an 2000 tu seras encore à Radio-Québec, qui aura changé de nom. Beaucoup de tes collègues n'auront pas la même chance. Toi, tu resteras. Ton sens de la survie, ta douce intelligence et ta naïveté seront tes anges gardiens. »

Le sourire de sœur Isabelle Galtier s'élargit. Elle entend les enfants crier dans la rue. Ils sont attroupés devant la résidence. Ils attendent son signal : « Allez, les enfants, montez tous. On va faire du théâtre avec le dernier article de Sibylle. Il est intitulé : « Neuf d'un coup et le jour le plus long ». On va se faire du théâtre avec la télé. Vous allez tous jouer un rôle de technicien. »

Le coffre de Picabo et Kalinelle !

Il ne reste que quinze minutes au tournage. Jean-Marc Dominique ajuste une dernière fois ses écrans. Les images ne sont pas claires. Il se frotte les yeux et demande au réalisateur André Des Érables de lui accorder un moment pour harmoniser les couleurs des trois caméras du studio. Jean-Marc est rivé à ses écrans depuis 8 heures le matin et il est 17 h 45. La journée a été longue. On n'a tourné que deux minutes cinquante-quatre secondes. Les enregistrements des *Oraliens* sont complexes. Les pédagogues du ministère de l'Éducation épient les réalisateurs. Plusieurs dizaines de fois dans la journée, trois pédagogues barbus ont épuisé leurs gommes à effacer et leurs crayons à mine sur les textes qu'ont joués plus d'une dizaine de fois les comédiens des *Oraliens*.

— On tourne ! lance avec impatience le réalisateur.

Picabo et Kalinelle découvrent un coffret à bijoux dans le grenier de Francolin. Ils apportent le tout à leur maison et un drôle de psychologue électrise les bijoux.

— On reprend ! lance l'un des barbus.

— On ne reprend rien ! réplique le réalisateur.

Les techniciens ont fait des miracles aujourd'hui et j'en ai plein le cul de l'enculage de mouches ! Depuis des semaines, la direction ne parvient pas à réconcilier les réalisateurs et les pédagogues. Les premiers réclament leurs privilèges de créer et de réaliser des émissions modernes dans lesquelles les enfants vont se reconnaître. Les seconds ne se soucient guère du rythme et de la qualité des images. Ils sont obsédés par la démarche pédagogique, plus ennuyeuse encore qu'un tableau noir.

— Faut pas vider le coffre de Picabo et Kalinelle ! murmure Jean-Marc Dominique à l'intention du réalisateur, qui acquiesce. Les fonctionnaires poilus du Ministère sont en train de vider la caisse des émissions pour enfants. Ils n'en finissent plus de nous faire recommencer et s'appliquent à rendre notre télé plate. Il va falloir faire une télé plus vivante, plus organisée et plus québécoise ! ajoute-t-il.

Jean-Marc Dominique entend encore les textes de l'historien Jacques Lacoursière. Deux jours plus tôt, il avait participé à l'enregistrement de *En remontant la rivière*, émission de radio réalisée par Jean Duras. On avait reconstitué la vie d'autrefois en la juxtaposant à la vie quotidienne contemporaine. Tous les techniciens étaient ravis. L'émission allait être diffusée dans plus de quarante postes de radio privée du Québec.

— Mardi, c'était moins long et c'était intéressant, confie Jean-Marc au cameraman Denis Bélanger. On a traversé une période qui s'étendait de la découverte de la Nouvelle-France jusqu'à la

Deuxième Guerre mondiale avec des images sonores. Je me demande si je n'aime pas mieux faire de la radio que de la télé. Faut vraiment des moyens importants pour faire une bonne télé... va falloir que ça change ici !

— À demain, 7 h 30, lance une voix dans la régie.

La production a pris du retard et la tension monte toujours un peu plus chaque jour. Denis Bélanger, tranquille et paisible, le rassure. Il a les yeux doux et affectueux. On dirait à s'y méprendre ceux de l'humoriste et comédien Jean Lapointe.

— Vivons au jour le jour. Moi qui aime la terre, la nature... je suis habitué à ne pas tirer sur les fleurs pour qu'elles poussent. Pour ne pas perdre de temps, il faut être préparé. Le temps, c'est la vie. Il faut le savourer. Le printemps prend son temps avant de nous plonger dans les grandes chaleurs de l'été. Tout ça pour te dire... qu'on va se réunir et exiger de nos boss une meilleure planification et surtout un seul chef dans les régies des studios. En attendant, on ne va écouter que les directives des réalisateurs. Fini l'enculage de mouches. Préparons-nous et labourons comme il faut nos terres et puis la récolte sera bonne. On va se bâtir une belle maison. D'ailleurs, en passant, une maison, j'en fabriquerai une pour mes parents, un jour... Prenons le temps de construire sur des bonnes bases. Ensuite, on verra. Avec vous autres, avec l'équipe, les réalisateurs et les artistes, je vis de belles choses ici. Si on jette notre argent par les fenêtres, on va finir par passer à travers la fenêtre, nous autres aussi. Les syndicats vont devoir ajuster leurs revendications à celles des citoyens de la classe moyenne et travailler pour la population. Il y a deux sortes de techniciens qui travaillent ici. Il y a les tranquilles et ceux qui bousculent. On va devoir trouver le ton juste entre les deux mondes pour contribuer aux grandes luttes syndicales, qui rapporteront à d'autres un jour, j'imagine. Pour combattre notre stress qui grandit toujours plus, nous devrons respirer calmement et éviter de nous laisser manger la laine sur le dos. Salut, à demain. Je vous ramène des belles tomates et du blé d'Inde. La récolte sur ma grande terre a été fabuleuse. Y a pas que la télé dans la vie... À demain, les gars.

Hiver 1970
« On va brasser la cage ! »

« On va brasser la cage ! » Le mot d'ordre vient d'être lancé par on ne sait qui et les activités de la télé québécoise sont sur le point d'être paralysées. Le tournage des *Oraliens* a été annulé. Les enregistrements radio aussi. Le patron de la cafétéria, Julien Laframboise, qui a des allures de Jean Gabin dans ses moments les plus bougons, ronchonne.

— Ils ne vont pas encore passer toute la journée ici à chialer contre les boss !

— Cesse donc de maugréer ! réplique sa femme, qui tient la caisse et qui distribue des sourires pour faire oublier la mauvaise humeur chronique de son Julien. Des jours, je me demande si ce ne sont pas justement ces petits gars-là qui sont les meilleurs défenseurs de Radio-Québec. En tout cas, je n'ai jamais vu de présidents à la cafétéria. Ceux-là, ils mangent dans des salons feutrés. Au mieux, je leur livre du café qu'ils « sniffent » avant de boire, comme si j'avais mijoté du poison. Et toi, Julien Laframboise, n'oublie pas que c'est avec les sous noirs du peuple qu'on paie ta Cadillac, notre Cadillac. Ces gars-là sont nerveux, mais sincères. J'imagine qu'ils transportent la colère de leurs parents. On n'est pas de la même génération... Ça brasse partout au Québec. C'est normal, tout ça. Et puis, en passant, cesse ce grand brassage dans la cuisine. On va te prendre pour l'organisateur en chef de la manif!

Le patron en rajoute, il mène un bruit d'enfer. Les chaudrons, qui étaient empilés comme si la veille un maniaque avait envisagé de reproduire la tour Eiffel, ne sont plus qu'un amas de tôle éparpillée dans un coin. Julien Laframboise aime donner de la hanche dans les casseroles pour soulager ses colères. Il lance un regard chargé de flèches empoisonnées en direction de Jean-Paul Mallier, qui s'amène avec ses écouteurs de caméra sur la tête.

— Ne vous en faites pas, Julien et Clémentine. Ça va s'arranger. Vous le savez, nos stratégies de relations de travail n'ont rien à voir avec les relations amoureuses. Elles seront désormais efficaces et brèves comme le coup du lapin, et hop! on retournera au boulot en vantant votre boustifaille dont nous sommes les principaux cobayes! Je vais arranger ça! Les patrons ne veulent pas investir pour produire. On veut un peu d'oseille pour nous et pour l'organisation afin de faire une meilleure télé. Et, si vous êtes patient, mon cher monsieur Laframboise, l'oseille va fleurir dans votre cuisine à la place de vos gousses d'ail séchées. Nous, on croit à notre télé. On croit aussi en nous et on veut le faire savoir. Aujourd'hui, on a une bonne nouvelle et une mauvaise. Une bonne pour nous et une mauvaise pour notre patron qui n'aime pas beaucoup la contestation. Il confond la révolte et l'affirmation. Notre patron est un ancien recteur de collège, jésuite en plus, et nous, les travailleurs d'une deuxième partie de siècle en pleine mutation. Nous sommes dans une trajectoire de collision. L'autorité, le conservatisme et la jeunesse, le goût de vivre, de participer et de décider en gang sont dans un axe d'impact.

— Écoute-le comme il faut, demande Clémentine à son mari. Jean-Paul est raisonnable. Il parle toujours bien et les choses s'arrangeront.

— Peut-être qu'il parle bien, mais moi, j'sais pas ce qu'il veut dire. Et je pense que les techniciens ne savent pas où ça va les mener de toujours contester !

— Ne vous en faites pas, monsieur, répond Jean-Paul avec une gentillesse infinie. Nous, vos vrais clients, on est là pour longtemps. Ça fera partie de la nouvelle d'aujourd'hui. Vous devriez être content.

— C'est bien beau, vos stratégies. Vous feriez mieux de tourner des vues au lieu de jouer dedans. Je vais encore perdre de l'argent, ce midi. Les bons clients, ceux qui ont le *cash*, ceux de la programmation, ne trouveront pas de place pour s'asseoir. Mon ragoût de boulettes va devenir de la bouillie pour les chats… des chats qui ne paieront pas mes factures. Et puis, c'est quoi encore, toutes ces pancartes barbouillées de rouge saignant que vous laissez traîner partout ? On dirait que vous annoncez une guerre de tranchées plus cruelle encore que celle de 1914. Et pourquoi c'est écrit : « brasser la cage » ? C'est pas une cage, ici, c'est une cafétéria !

Les techniciens sont rassemblés calmement. Des files de clients attendent leurs rôties et leur café.

Ils sont entrés en même temps au travail, avant même leur heure d'affectation. La nuit précédente, ils ont tous été appelés pour l'annonce d'une nouvelle. Clémentine tend la main afin de ramasser les pièces de monnaie des techniciens, qui doublent leurs pourboires ce matin-là.

— Tu vois ! s'écrie Clémentine, en direction de son mari, ce matin, on fait beaucoup d'argent… Ils paient deux fois le prix des toasts… Alors, de quoi tu te plains ?

Clémentine fait signe à Yvan Laviolette de s'approcher et lui glisse à l'oreille :

— Qu'est-ce que vous voulez ce matin, les techniciens ?

— Deux œufs miroir, répond Yvan.

— Dis-le-moi, Yvan, qu'est-ce qui se passe ?

— Ça va vraiment brasser aujourd'hui, chère madame. Le patron nous a tous convoqués dans le grand studio. Y paraît qu'il est furieux.

— Furieux ?

— Oui, furieux !

— Un ancien curé furieux, ça fait drôle… Le ciel va vous tomber sur la tête !

— On va assister à une vraie grand-messe et on va prendre tout un sermon.

— C'est quoi les péchés dont il vous accuse ?

M. Laframboise s'est approché. Les œufs au plat n'ont jamais été grillés aussi vite. Il veut savoir. Sa femme sait parler aux techniciens et elle est leur confidente. L'apercevant, elle attrape l'assiette et lui demande de rajouter du bacon pour Yvan. Insulté, son mari se dirige vers Serge Marcil, avec qui il partage souvent des mots crus.

— Tu veux quoi dans ton assiette, Serge ?

— Trois œufs, des saucisses, beaucoup de saucisses, des grosses ! Six toasts, des patates... et pis, tous les chaudrons disponibles. Ce matin, le président L'Amirauté, que j'aime bien par ailleurs pour sa grande bonté, va nous taper sur la tête. Ça va pas être de la tarte ! Je me sens petit dans mes culottes. Lui qui ne cesse de me sauver de mes frasques... lui qui sait, au fond, que je suis une bonne âme dans une grosse bedaine.

— C'est bien la première fois que tu avoues que tu te sens petit dans tes culottes ! réplique M. Laframboise. Et pourquoi vous êtes tous sur le sentier de la guerre, ce matin ? On va pas fermer Radio-Québec quand même ! J'ai pas les moyens de perdre ma cafétéria.

— Eh ben, mon cher Laframboise, t'as qu'à faire comme nous.

— Quoi, comme vous ?

— Syndique ta cuisine. Il suffit d'être deux pour se syndiquer : toi et Clémentine.

— Niaise pas, Serge. Qu'est-ce qui se passe ?

Un début de réponse résonne dans les haut-parleurs de la cafétéria. « Tous les employés... » Soudain un silence, puis la voix reprend : « ... seulement les techniciens sont convoqués dans le studio un pour une annonce du président. »

Il est 9 h 05. Il neige et pleut à la fois à boire debout, ce matin-là. C'est la giboulée de mars. Le président de Radio-Québec, Yves L'Amirauté, descend d'une voiture-taxi. Il a le pas rapide et déterminé. Une Volks orange approche lentement. C'est Sibylle. Quelqu'un l'a invitée. *Le Monde d'Hochelaga-Maisonneuve* est sur place. De son bureau, Philippe Robillard regarde le ciel ombragé et note pour lui-même : « Philippe, tu n'as rien à te reprocher. Tu as choisi des techniciens avec du caractère. C'était la commande. L'Amirauté a été injuste avec toi, hier. Il t'a reproché d'avoir encouragé les techniciens à se syndiquer. Tu es dans la merde. Dans les corridors, dans les studios, dans les salles de repos et j'imagine dans tous les bureaux de Radio-Québec, on te montre du doigt comme étant responsable de tout ce chiard... Sois un peu zen, Philippe, griffonne-t-il. T'es quand même pas responsable de la Révolution tranquille et du renversement à Cuba par Fidel Castro. »

« Le monde et les temps changent », fredonne Philippe Robillard, nasillard, à la manière de Bob Dylan. Il se dirige vers le studio, même si le président L'Amirauté ne le salue plus depuis quelques jours. M. Robillard fait du slalom entre les affiches. Plusieurs de ses collègues sont attroupés. Ils commentent un graffiti apparu pendant la nuit sur la porte du grand studio :
« LES MAL ENTENDUS SERONT ENTENDUS !
Fuck, d'ostie et de câlisse »

Clémentine Laframboise et son mari ont quitté la cuisine et le comptoir de service pour rejoindre les techniciens aux tables. Serge Marcil prend la parole. Il est à l'emploi de Radio-Québec depuis quelques mois seulement comme cameraman et crée de l'émoi chaque fois qu'il s'implique dans une discussion en groupe. Ses collègues sont déjà habitués à ses frasques et à son franc-parler. Chacun constate qu'il ne rigole pas. Il a décidé de s'adresser à tous. On fait habituellement appel à lui lorsque les situations se corsent.

— Aujourd'hui, les gars, on ne s'en va pas tourner un long-métrage de diapositives sur les poignées de portes historiques du Québec ancien. On va se faire parler dans la face par le superboss. Et ça ne va pas être mignon comme dans *Les Oraliens*. Ça va nous prendre plus que des boîtes en carton sur la tête pour nous protéger contre la volée de reproches qui va déferler sur nous comme les orgues de Staline sur Berlin. J'ai même demandé au grand chaman de la cafétéria de nous prêter des chaudrons pour nous protéger la cervelle contre une salve patronale.

— Allez, Serge, continue, lance une voix convaincante que personne n'a jamais pu identifier, celui-là même qui aurait peint des graffitis pendant la nuit. Il s'agirait du Technicien Inconnu, selon certains.

Serge Marcil bombe le torse pour signifier son agacement d'être interrompu.

— Il va falloir se forcer le derrière si on veut être crédibles. Dans dix minutes, on va parler à notre président, M. L'Amirauté, celui-là même qui a eu la bonté de m'endurer pendant des années. Croyez-moi, je sais de quoi je parle. Il était recteur de mon collège. J'en ai été chassé par lui. Disons que je n'avais pas été très gentil avec un enseignant en soutane. M. L'Amirauté n'avait pas apprécié que je transforme une robe noire de religieux en haillons de l'enfer.

Serge occupe entièrement le cadre de la porte de sortie de la cafétéria. Il improvise. Personne ne lui a demandé de prendre la parole. Le ton de sa voix alterne entre celui de la confidence et celui de l'avocat en pleine plaidoirie qui, le verbe tranchant, s'attaque à un adversaire.

— N'allez pas croire que je me porte à la défense du président de Radio-Québec. N'allez pas croire, non plus, que j'ai un *kick* sur lui et que je m'excite sur son charme à la Gregory Peck. Ça va pas être facile, cette rencontre. C'est pas avec des *fuck*, *d'ostie et de câlisse* que les plus vulgaires d'entre nous prononcent qu'on va amadouer ce grand chef-là. Ce n'est pas, non plus, avec de petites phrasettes sirupeuses qu'on va le calmer. Le boss est en beau chrissss... Il va tout faire du haut de son piédestal pour nous convaincre de renoncer à notre projet. Il va même proposer de nous pardonner nos petites ambitions légitimes, qui visent à permettre à la majorité d'entre nous de travailler avec un salaire convenable et comparable à celui de nos collègues de Radio-Canada.

Le regard de Clémentine Laframboise brille et son petit sourire émerveillé en rajoute. Elle chuchote à son mari :

— Des jours, ça paraît qu'il est d'une bonne famille, ce Serge Marcil !

— Depuis le temps que je te le dis, répond M. Laframboise. Il sait de quoi il parle. Il a travaillé au Canal 10, ce gars-là. Y en a vu, des vedettes. Il est en maudit. Y a des rumeurs qui disent qu'il va y avoir des mises à pied. Les plus jeunes vont devoir partir, y vont être slaqués.

Tout à côté des maîtres de la cafétéria, Philippe Rioux, qui, par déformation professionnelle, ne peut tolérer que l'on chuchote lorsque quelqu'un prend la parole, leur fait comprendre du regard qu'ils doivent se taire. Après avoir attendu brièvement que le silence se réinstalle, Serge Marcil reprend la parole si faiblement qu'on entend la pluie tambouriner dans les fenêtres.

— Il va chercher à nous convaincre de ne pas joindre le syndicat NABET. Il a des lettres, ce monsieur, croyez-moi. Va falloir lui faire savoir qu'on veut participer. Va falloir qu'il comprenne que les rêves de grandeur de faire une grande télé, ça commence par de la production. On va pas passer notre vie à attendre qu'il se passe quelque chose. On va devoir lui dire de mettre le plus d'argent possible sur la production plutôt que sur l'administration. Y a des smats partout dans les bureaux qui nous réduisent au statut de main-d'œuvre, du monde qui se moque de nous, du monde qui veut se débarrasser de nous au moindre désaccord, des chrisssssssss d'ostie de... qui veulent qu'on porte des cravates blanches à pois bleus et des cravates rouges à pois blancs. On est des travailleurs, des travailleurs-artistes. Retenez ça, des travailleurs-artistes !

Serge Marcil souffle un grand coup et reprend :

— Je suis venu ici avec, au fond de moi, le désir profond de travailler avec des artistes. C'est un privilège que nous avons de pouvoir refléter le monde et d'en inventer d'autres, avec des réalisateurs, des écrivains et des costumiers. Et il y a des artistes parmi nous. Ils sont éclairagistes, cameramen, preneurs de son, monteurs. Nous créons des lumières, des ambiances, des silences et des bruits de toutes sortes...

Une salve d'applaudissements rompt le silence religieux que Serge Marcil était parvenu à imposer à ses collègues. Le brouhaha a attiré l'attention de Mme Muguette, dont la nervosité est apparente. Elle s'est approchée de la porte de la cafétéria sur la pointe des pieds, espérant pouvoir détendre l'atmosphère tendue qui la traque. Elle déteste les conflits et s'improvise souvent médiatrice. À la demande de la direction, elle a informé tous les cadres de se rendre aux studios pour la rencontre capitale. « Soyez à l'heure ! Et M. L'Amirauté demande de ne faire aucun commentaire devant les techniciens à la suite de son discours. Je prendrai tous les messages téléphoniques ! »

Un chapelet de sonneries insistantes incite Mme Muguette à retourner à son pupitre. Elle croise Me Bernard Benoist, l'architecte de la structure juridique de Radio-Québec et premier grand conseiller du président. La veille, il a tenté de calmer son patron en lui disant qu'un syndicat pourrait normaliser un contexte de relations de travail qui risquerait de se compliquer : « Les techniciens sont impétueux et volontaires. Si les choses ne sont pas claires, ils ne sont pas drôles. Autant éclaircir les choses. L'esprit syndical se répand partout et sûrement plus vite dans les milieux les mieux informés, comme c'est le cas à Radio-Québec. »

Surpris et réjoui de l'effet de son discours improvisé, Serge Marcil s'avance au centre de la salle. Il pose sa main droite sur l'épaule de Jean-Louis Paquette un peu gêné par la proximité physique de son collègue qui en impose.

— Voyez ce gars-là, dit Serge. Ce jeune homme énergique et plus rapide que l'éclair risque d'être mis au chômage si on ne prend pas le taureau par les cornes. Et le taureau, c'est l'administration trop lourde qui commence à s'installer et des cadres qui commencent à nous haïr parce qu'on réfléchit. Y a des pseudo-futés qui pensent que des techniciens, ça ne pense pas. Que des technos, ça ne sert qu'à ploguer des fils. Eh ben, il va falloir que cette gang de tout-nus intellectuels cesse de se prendre pour des fonctionnaires qui ne font que fonctionner, comme dirait Jacques Brel.

La tempête a pris de la force dans les fenêtres embuées de la cafétéria. La chaleur humide de la passion, mêlée à la fumée de cigarettes produite par une vingtaine de fumeurs et les vapeurs qui proviennent de la cuisine de M. Laframboise, forment un brouillard au-dessus des têtes. Serge Marcil se dirige vers d'autres techniciens qu'il montre du doigt.

— Voyez, Philippe Rioux et Gilles Fleurant sont non seulement des amoureux de la nature, ils sont aussi capables de réinventer un son de moustique à peine perceptible et des grognements de loups affamés avec un rien. Ils ne sont pas uniquement des gars de son, ils sont des créateurs de son. Je vais défendre ces créateurs-là. Méfiez-vous de ceux et celles qui se moquent d'eux. Méfiez-vous de ceux qui les associent à des paresseux. Notre travail, c'est de rendre possible l'inimaginable. On n'est pas uniquement des opérateurs de machinerie ni des rabouteurs de fils. On est au service de l'imaginaire, de l'audace et de la folie contrôlée. On va devoir soutenir les créateurs. C'est de cette manière qu'il va falloir parler à nos boss... Au fait, les gars, j'imagine que je ne saurai jamais qui a barbouillé intelligemment le graffiti sur la porte de studio, qui a gribouillé avec une main d'artiste : « LES MAL ENTENDUS SERONT ENTENDUS ! »

Avant même que Serge Marcil termine sa question, cinquante-quatre mains se lèvent à l'unisson. Ravi, il tend les deux bras d'un geste sec, en ajoutant :

— Tous pour un, un pour tous ! Nous allons mettre fin au malentendu en parlant d'une seule voix !

Un grincement qui surgit des haut-parleurs fait place à une voix nerveuse. C'est Mme Muguette : « Dernier appel. Tous les techniciens doivent se rendre dans le plus grand des deux studios. Monsieur le président-directeur général et principal administrateur vous convoque pour une rencontre importante... »

— C'est bien pointu comme invitation ! On se dirait en France ! lance Jean-Paul à Serge Marcil. Allons nous faire brasser la cage par le boss. Ça ne sera pas l'extase !

— Penses-tu qu'ils vont revenir pour le dîner ? demande M. Laframboise à sa femme en regardant, sceptique, ses chaudrons de ragoût.

— T'en fais pas, mon mari, ils ont le sens de la survie, ces petits gars. Ne t'en fais pas, on va vendre des millions de sandwichs aux tomates et on va la payer, ta Cadillac, mon beau pitou.

Sibylle, la cartomancienne, et les mal entendus

Un 31 octobre à 17 heures, quinze techniciens sont attablés au restaurant *La Caricature*, au coin de Maisonneuve et Dorion. Ils sont épuisés : vingt-trois heures de travail en ligne. Ils reviennent d'un tournage émouvant et bousculant l'âme de chacun. Dans une chambre blanche de l'hôpital Notre-Dame, ils ont fixé sur images les dernières scènes d'une dramatique qui leur a chamboulé le cœur. Un homme, en phase terminale, mourait aux soins palliatifs. Les techniciens essaient d'oublier. Ils ont côtoyé des mourants fictifs pendant des semaines et fabriqué des éclairages pour des visages dans lesquels la lumière de la vie s'éteignait. Bon nombre de questions sur le sens de la vie et sa finitude étaient abordées. Les gars du son entendent encore les confidences de ce mourant qui ne veut pas quitter la vie. Ils ont le goût de s'en distraire, de rire, de boire et de manger. Les techniciens sont en cercle autour de Sibylle, qu'ils aiment visiter dans les moments difficiles.

— Les gars, si vous voulez oublier la mort, pour un dollar chacun, je vous parlerai du futur. Je vous raconterai votre avenir, vos amours, vos peines, vos joies. Et je vous parlerai de votre travail. Faut bien que je gagne ma vie. Mon petit boulot au journal communautaire ne va pas me nourrir et la télé me boude. Ce soir, je suis votre diseuse de bonne aventure !

Sibylle emprunte souvent des accents étrangers. Chaque fois qu'elle joue un personnage, elle le fait sans faillir. Ce soir-là, sa voix résonne comme celle d'une femme d'Afrique du Nord. Elle fait de l'effet avec ses yeux berbères. Elle porte une sorte de litham en soie noire qui se soulève et s'abaisse au rythme de sa respiration, qu'elle exagère parfois pour attirer la clientèle. Elle aime raconter que son père était arabe et que sa mère, une Autrichienne, savait mettre les hommes au pas. Elle enregistre les confidences et les secrets sur la vie des gens pour mieux parler de leur passé et jongler avec leur avenir. Aussi, chacun reconnaît son talent de devineresse. Ce soir, elle est vêtue d'une superbe robe en coton noir ouverte avec élégance jusqu'à la chute des reins.

— Alors, je commence par qui ? demande Sibylle en plongeant son regard vert émeraude tour à tour dans les yeux de chacun. Par toi, Yvan, qui captes les images des beautés et des laideurs du monde dans tes voyages ? Par toi, Jean-Paul l'immigrant, qui sais nous expliquer le vieux monde ? Par toi, le beau Jean Bouchard, à qui aucun problème électronique ne résiste ? Par toi, Marcel, avec tes belles épaules et ton sens de l'organisation ? Par toi, mon cher Gilles Fleurant, dont aucune nuance de ma voix ne t'échappe et qui es en amour avec l'amour ? Par toi, Jean-Louis Paquette, le plus volubile et peut-être le plus sensible de tous ? Peut-être par toi, le sourire gentil, Jean-Marc Dominique... Et qui encore ? Par toi, le grand coureur des bois, maître de chasse et de pêche, Philippe Rioux ? Et toi aussi peut-être, Benoît Bergeron, l'ermite, le silencieux ? Et que dire de toi, le grand Guy Ross, qui sais fabriquer et réparer des lentilles et les miroirs de la télé où se mirent les plus belles femmes du monde ? Au fait, cher Guy Ross, tu vas te marier avec une jeune femme superdynamique. Et vos amours vont débuter sur un plateau de télévision.

— Belle affaire ! réplique Serge Marcil. C'est moi le plus séduisant de tous ! Je ne vois pas pourquoi le grand Ross me piquerait les plus belles !

— Silence ! Serge-Don Juan-Marcil, lance théâtralement Sibylle. Avec ta voix si forte, ton cœur si fou et ton tempérament de cheval sauvage, toi, le grand impétueux, tu nous bouleverseras longtemps et bien au-delà de l'an 2000 ! Alors, qui a le courage d'entendre ses misères et ses splendeurs à venir ? Toi peut-être, mon cher Gilles Lefebvre, défenseur de la veuve et de l'orphelin, aux allures de Philippe Noiret déguisé en Che Guevara ? Ou bien toi, le grand et silencieux Denis Bélanger, qui rêves de cultiver les grandes terres fertiles du Québec ?

D'un bond, tous les gars se lèvent en montrant du doigt Yvan Blanchet, le plus discret de tous. Celui-ci déclare alors :

— Je suis volontaire, commence avec moi !

— Bon, très bien, mon cher Yvan ! Les autres, avalez tous vos bières et commandez chacun un thé. Ce soir, je lis dans vos fonds de tasses !

Un murmure de désapprobation envahit la place. Bon nombre de ces hommes veulent mettre fin à ces après-tournages où alcool et confidences achèvent les soirées. Ils ont peur de perdre leurs amours, leur femme et, pour certains, des tout-petits qui les attendent à la maison. Les horaires de travail commencent à être lourds. Ce qui était une passion au départ de la télé devient laborieux. Les pressions professionnelles commencent à écraser les personnalités les plus fragiles. Les patrons les traitent de plus en plus durement. Le climat politique et social du Québec est tendu et touche ces garçons sensibles qui tournent des témoignages dans toute la province. Le Québec sort ébranlé de la crise d'Octobre et les techniciens de Radio-Québec enragent à la mesure des inégalités sociales qu'ils montrent au public. Ils ont l'intention de constituer un corps syndical batailleur pour contribuer aux luttes globales. On les voit comme des emmerdeurs alors qu'ils sont sincères. C'est pour cette raison que Sibylle les appelle ses « mal entendus préférés ».

— Au fait, les garçons, l'équipe des mal entendus, ne venez pas vous plaindre ce soir. Essayez d'imaginer l'avenir. Ce soir, on va jusqu'à l'an 2000. Vous le savez tous, je ne me trompe pas beaucoup. Attachez vos tuques… Et toi, Denis Crête, l'éclairagiste, fais-nous une belle lumière en fermant tous ces néons dégueulasses. Je suis votre avenir, ce soir.

On entendrait une mouche voler. Ce qui plaît à Philippe Rioux, homme de son, qui n'aime pas le tapage.

— Le monde va changer et vous devrez vous habituer à de grands bouleversements après avoir dérangé beaucoup de monde. Vous allez faire rager les patrons, qui vont s'écrouler comme des soldats de plomb poussés par vos exigences légitimes. Les présidents vont se succéder et vous, vous allez rester. Enfin, pas tous. Certains vont payer le prix de la lutte. J'aimerais entendre des airs latinos pendant que je prédis l'avenir.

Le barman entend la demande de Sibylle qui s'égosille en imitant Maria Callas et, avant qu'elle achève de stimuler la curiosité des hommes, il pousse sur une cassette en s'écriant :

— Voilà le *Boléro* de Ravel, Sibylle. Comme ça, on n'aura pas besoin de changer de toune… dans les trente prochaines minutes. De toute façon, le monde ne change pas, tout n'est que répétition. Il n'y a que les êtres qui passent. Ce soir, tu as ce qu'il te faut pour allumer davantage ta gang qui rêve de changer le monde.

— Quelqu'un choisit une date au hasard ? demande Sibylle.

— 1995 ! s'écrie Gilles Lefebvre.

— Une année de mort ! lance très fort Sibylle. Un président va mourir et la moitié d'entre vous allez perdre votre travail. Toi, Gilles, tu seras congédié, puis réembauché parce que tu es très bon. D'autres n'auront pas la même chance et ils ont autant de talent.

— Sois moins morbide, demande Gilles Fleurant à Sibylle.

— Bon, d'accord, Gilles. Toi, tu te marieras avec une femme de Rimouski. Tu ne perdras pas ton emploi. Vous déclencherez des grèves aussi brèves que des éclairs ! Vous vous battrez sans relâche pour travailler dans de meilleures conditions. Vous perdrez vos amoureuses dans certains cas. Soignez vos amours, les gars. Il n'y a pas que le travail et la fête!

— Et quoi encore? demande Yvan Blanchet, qui était pourtant volontaire pour que Sibylle lui raconte son avenir.

— Une femme avec des lunettes sera présidente. Elle fera construire d'immenses studios et, pendant ce temps, des capitalistes s'évertueront à convaincre vos boss que des syndicats, «ça ne vaut pas de la marde». Puis, la madame à lunettes va être chassée pour avoir vu trop grand et parce qu'elle aura mélangé tout le monde. L'industrie de la télé sera envahie par des marchands de tapis qui feront du *cash* avec les artistes et les installations de Radio-Québec.

— Case départ! déclare Yvan Laviolette. J'ai obtenu ma job dans un ancien entrepôt de tapis. Continue, Sibylle, tu nous déprimes. Après qu'on ait passé quinze jours à entendre parler du cancer, voilà que tu nous décris le nôtre. On devrait lâcher nos tasses de thé pour plonger dans la bière. Continue, tu es notre reine, on t'aime, on te trouve belle.

— Continue, continue, entonne la quinzaine de mal entendus. Nous aussi, ON T'AIME À LA FOLIIIIIIIIIIIIIIE…

Et Sibylle enchaîne:

— La même chose va se produire à Radio-Canada. Le Parti québécois va prendre le pouvoir et l'un de leurs grands chefs, qui aura des allures d'Obélix, coupera Radio-Québec en deux en déclarant: «L'État n'a pas sa place où l'entreprise privée peut mieux faire.» Eh ben, les petits gars, votre télé granola et votre service social audiovisuel vont être entraînés dans la tourmente. Avec les réalisateurs, vous serez à peu près les seuls à dénoncer les abus. Préparez-vous à la bataille. Puis, une madame méchante qui scribouille dans un journal méchant dira des méchancetés sur vous. Et on vous croira superméchants, soyez-en sûrs!

— Sibylle voit juste, les gars. Elle a raison! s'écrie Jean-Paul. Moi, je sens qu'en France ça va devenir comme ça aussi. La culture et l'éducation, c'est pas payant. On est dans un monde de profit. Il faudra être rusés pour combattre tous ceux et celles qui veulent faire disparaître Radio-Québec. Les boss passent. Nous, on restera, on se battra. Moi, j'ai fait l'Algérie. J'en ai vu d'autres. Le marché de la télé va devenir une vraie casbah où l'on va déchirer l'argent du public. Notre télé, elle est publique. Y a de l'oseille et les hommes d'affaires savent s'emparer de l'oseille. Il va nous falloir développer des stratégies de résistance. Il va nous falloir joindre une grande centrale syndicale. Tout seuls avec notre syndicat de boutique, on n'y arrivera pas!

— Jean-Paul a raison, enchaîne Sibylle. Un jour, vous vous joindrez à une grande centrale syndicale dont on dira qu'elle est bourrée de communistes. Rassurez-vous, ce ne seront que des enseignants qui, comme vous, sont préoccupés par l'éducation populaire, ce que vous essayez de faire à Radio-Québec. Et bizarrement, c'est une autre madame qui vous défendra. Elle aura les cheveux blonds et une petite voix aiguë. Elle se portera à votre défense. Mais vous perdrez de grandes batailles.

Sur le mot *bataille*, le *Boléro* de Ravel s'épuise et un curieux silence envahit le restaurant.

— Bon, ça va, les gars, enchaîne Sibylle. C'est assez pour ce soir. Pour le *punch* final, laissez-moi ajouter que vous foutrez un joyeux bordel dans une immense cabane en bois rond pour riches située près de la frontière ontarienne. Je ne sais pas quand cela se passera. Tout ce que je peux lire dans ma tasse de thé refroidi, ce ne sont que des lettres, un nom de lieu avec bien des oooooo, comme Jell-o... comme bobo ! Et toi, Gilles Lefebvre, tu seras là. Je te vois au petit matin te chicaner avec un personnage qui ressemble un peu au colonel du poulet Kentucky. Un monsieur avec des sourcils pointus qui se tient les mains croisées sur le bas-ventre, comme pour cacher une sorte d'impuissance. Il parlera la bouche en trou de cul de poule. Là, je triche un peu, les gars. Je le connais, ce bonhomme. C'est celui qui fait la navette dans les bureaux de vos présidents et qui a une peur bleue des syndicats !

Puis, dans un geste formidablement théâtral, à la manière d'une danseuse de flamenco, Sibylle tournoie jusqu'au bar en chantant :

— De la bière pour tout le monde. Du rhum, des femmes, de la bière, nom de Dieu... du rhum, des femmes, de la bière, nom de Dieu...

C'est ainsi que s'acheva cette soirée. Déçu de ne pas avoir pu connaître son avenir personnel de la bouche même de Sibylle, Yvan Blanchet est rentré chez lui, où il a pénétré sur la pointe des pieds. Il n'ouvrit pas la lumière, mais sursauta comme s'il avait été agrippé par le collet.

— Tu rentres bien tard, Yvan ? lui demande sa femme.

— T'inquiète pas, minou, on a fait du temps supplémentaire et puis, après, on est allés prendre une tasse de thé à la cafétéria ! Yvan rassure du mieux qu'il peut la femme qu'il aime. Un jour, elle a découvert des photos d'Yvan tout nu ! Il avait posé à poil avec d'autres techniciens. Ils se tenaient droits comme de pauvres démunis dépouillés de leurs vêtements. Ça n'avait pas du tout l'air d'une réunion syndicale. Le président du syndicat n'était pas sur la pièce à conviction. Yvan n'a jamais pu convaincre sa bien-aimée qu'il avait été obligé de montrer ses bijoux de famille parce que les autorités du camp de nudistes où sa bande tournait étaient scandalisées de les voir habillés. Ce n'est pas vraiment le fait qu'Yvan ait osé baisser ses culottes qui a inquiété sa femme. Parmi les tout nus, il y avait une fille, une fille qui ressemble à celle qui lui tourne autour lorsqu'ils font l'épicerie.

— Viens faire dodo, mon doudou, t'as l'air fatigué. Il est tard !

Yvan n'a pas remarqué que sa femme portait des sous-vêtements rouges affriolants et qu'une petite ampoule mauve avait été cerclée d'un anneau dégageant une odeur de patchouli.

— Bonne idée, ma doudou… allons faire dodo.

« CE SERA LA GUERRE, CROIS-MOI, ET CE NE SERA PAS UN MALENTENDU ! »

Hawkesbury, 15 mars 1979, dans une chambre de l'*Hôtel Hawkesbury*, 6 h 07 du matin. Le Technicien Inconnu n'a pas fermé l'œil de la nuit. Ses yeux sont rougis par le manque de sommeil. À la recherche d'une bouffée d'air, il ne parvient pas à ouvrir la fenêtre en aluminium, dans cet hôtel de troisième classe où il a décidé d'installer son poste de communication. Une grève éclair pourrait être déclenchée aux premières heures d'un sommet économique qui doit se tenir au *Château Montebello*. Le soleil ne va se lever que dans quatre-vingt-dix minutes et la glace qu'a fabriquée la nuit froide de fin d'hiver enserre la fenêtre à guillotine. Il fait appel à une femme de chambre, qui verse de l'eau bouillante pour libérer la fenêtre. Mme Juliette Osborne, une Franco-Ontarienne, est étonnée par le mélange de douceur et de fermeté qui émane de la voix du technicien au nom inconnu. Voici les propos du Technicien Inconnu en conversation téléphonique avec quelqu'un de Montréal, tels que rapportés par Mme Osborne :

« Ce sera la guerre, crois-moi, et ce ne sera pas un malentendu ! C'est ce qu'on devrait dire aux grands boss et à toute la clique politique qui va s'amener au *Château Montebello* ce matin. On devrait défoncer ces capitalistes, leur dire qu'on veut garder nos jobs, qu'on réclame des horaires de travail convenables, ok!»

Le Technicien Inconnu a reçu l'ordre du président de son syndicat, le SERT.

— Ce n'est pas tout, a ajouté Mme Osborne. Il a aussi dit : «Il faut donc que tout ce grand monde comprenne qu'il n'y aura pas de télédiffusion en direct. Qu'il va neiger dans les téléviseurs du Québec. Et que ça va suer dans la grande cabane en bois construite par les suppôts du capitalisme d'un autre siècle.»

Ce matin-là, l'actualité canadienne a les yeux braqués sur le *Château Montebello,* où se tient le sommet socioéconomique. Le premier ministre du Québec, René Lévesque, et ses ministres reçoivent de grands chefs économiques, des décideurs patronaux et syndicaux, pour parler affaires. Le ministre Bernard Granby est sur les nerfs. Il fulmine à l'idée que de simples travailleurs de l'audiovisuel québécois vont oser museler les propos des décideurs en bloquant la retransmission des débats. Le gouvernement péquiste fraîchement élu veut faire bonne figure dans les grandes ligues affairistes et voilà que des techniciens de la télé québécoise annoncent une tempête médiatique de neige et de crépitements dans les téléviseurs.

«Faut-il que je leur fasse savoir que les satellites n'auront rien à bouffer? La guerre des étoiles, quoi!»

— C'est vraiment ce que j'ai entendu, a confié Mme Osborne. On se penserait en pleine guerre ! Ils ont même dit qu'ils allaient paralyser le mobile. La femme de chambre de l'*Hôtel Hawkesbury* est effrayée. Les mesures de sécurité autour du sommet économique sont importantes et font l'objet d'un tapage médiatique. Elle ignore que le Technicien Inconnu parlait de paralyser leur propre car de reportage, celui-là même qu'ils ont construit et dont ils sont fiers. Les techniciens se battent pour le renouvellement de leur convention collective et ils ont obtenu le droit de grève effectif à partir de 6 heures du matin, ce jour-là.

Au *Château Montebello*, Sourcils Pointus est nerveux et furieux. Il a appris la mauvaise nouvelle, qui circule comme une rumeur au lever du soleil. Lui qui a assuré à son gouvernement que tout baignait dans l'huile. Les boss de la télé québécoise l'ont rassuré et lui ont promis une couverture télé sans anicroche. Sourcils Pointus cherche une confirmation et interroge quelques techniciens qui préparent le plateau.

— Il n'y aura pas d'images si les négociations ne vont pas mieux dans les prochaines heures ! murmure l'un d'eux.

— Dites, est-ce que c'est vrai que vous allez débrayer à 9 heures ? demande Sourcils Pointus.

— J'sais pas, moi, répond Gilles Lefebvre, masqué d'une longue barbe rousse. Demandez à l'autre, là-bas !

— Et il s'appelle comment l'autre, comme vous dites, demande sèchement le haut fonctionnaire étranglé par une boucle papillon fleurie bleu et blanc, les couleurs du Québec.

— Vous n'avez qu'à l'appeler Bleuet. Moi, on m'appelle Pinotte. Comme vous pouvez le constater, cher monsieur, nos noms sont alimentaires. Notre convention collective n'est pas signée et vos patrons, les boss à Québec, et puis les nôtres à Montréal ne veulent pas négocier. C'est honteux. On a vu la bouffe qu'il y a ici ! Avec le prix que ça coûte aux contribuables, votre grande bouffe de grands boss dans la supercabane en bois rond, on aurait pu nourrir les enfants et les familles de la rue Fullum... oui, Fullum, une rue de pauvres où loge une télé de pauvres.

— C'est du chantage, déclare péremptoirement le haut fonctionnaire aux sourcils abondants et pointant vers un front dégarni et suant.

Gilles « Pinotte » Lefebvre lui indique de l'œil deux tableaux éclairés par le soleil levant, sur lesquels on voit le *crooner* américain Perry Como, paré d'un sourire étincelant et le célèbre chanteur Bing Crosby, la bouche ouverte comme s'il était en train de chanter *Petit papa Noël*. Le *Château Montebello* a reçu les deux grandes stars américaines en 1950.

— Les maîtres chanteurs sont au-dessus de votre tête, monsieur. Moi et mes chums, on n'est que des travailleurs, on connaît ça, nous, les vedettes, et le seul pouvoir qu'on a, c'est de les faire briller, les vedettes. Sachez qu'on n'a pas le goût de braquer nos belles lumières et nos grosses lentilles sur des têtes qui se paient notre tête. Sachez-le, monsieur.

— Vous êtes vraiment insolent, monsieur Pinotte ! Je vous fais remarquer que vous avez les pieds et des pancartes sur le tapis rouge sur lequel les ministres doivent passer.

— C'est pour vous sensibiliser, monsieur le haut fonctionnaire, que je suis sur le tapis rouge. On n'est pas des illettrés ni des tartes. Ça me donne le goût de vous parler franchement : ce château ! j'aurais fait de même devant l'ancien premier ministre du Canada, Mackenzie King, qui fit de cette vaste cabane en bois rond un milieu de riches où vous oubliez de parler des plus démunis. J'aurais aussi fait de même devant le prince héritier du Japon, Akihito, qui a dormi ici en 1953 et peut-être dans la chambre que vous occupez. Et là, je ne vous parle pas du prince Souvanna Phouma, ni de la princesse Doune et encore moins du prince Rainier et de la princesse Grace Kelly, qui ont aussi bouffé ici. Tout ça, monsieur le fonctionnaire, pour vous dire qu'on est bien renseignés et que j'ai pas besoin de recevoir des cours de bienséance d'un apprenti séparatiste qui ne respecte pas les travailleurs.

— Sachez que je vous respecte, monsieur Pinotte, déclare fermement le haut fonctionnaire en claquant les talons comme un colonel prussien, mais le ministre Granby et M. Lévesque vont dénoncer votre attitude ce matin.

— Et avec quels micros et quelles images, monsieur ? Les carottes sont cuites !

Pendant ce temps, à trente pieds des portes d'entrée du *Château*, les techniciens fourbissent leurs armes : des pancartes qu'ont dessinées et fabriquées pour eux des artistes sympathiques à leur cause. Le mot d'ordre est : «Demandez à l'autre, il vous dira tout!» ont convenu les techniciens. Déjà les tirades de Gilles Lefebvre se sont répandues partout. Tous ont jugé qu'il n'a rien dit en parlant beaucoup. Le seul reproche que l'on peut lui faire est le dévoilement d'un code secret pour le déclenchement de la grève. Gilles a conclu son échange avec le haut fonctionnaire aux sourcils broussailleux en déclarant : «Les carottes sont cuites!» Les autres techniciens présents ont cru un instant qu'il s'agissait du déclenchement des hostilités. Ils ont lâché les câbles électriques et les spots d'éclairage en murmurant qu'ils prenaient une pause café de vingt-quatre heures devant le fonctionnaire, qui heureusement n'entendit rien. Il a les oreilles bouchées par une colère contenue et s'en va se verser un café dans une tasse de porcelaine fine sur laquelle trône la tête d'Elizabeth II, toujours reine du Canada. Sur l'une des affiches, on peut lire :

« Ce sera la guerre, et ce ne sera pas un malentendu!»

Une heure trente sept minutes plus tard, Gilles informe un cameraman d'un autre réseau de télé qu'il va y avoir matière à nouvelles. Les techniciens ne vont pas retransmettre les débats du premier sommet socioéconomique tenu par le Parti québécois. Un monsieur très élégant s'approche de Gilles Lefebvre.

— Bonjour, monsieur, vous êtes de la gang de Radio-Québec? Mon président, celui de la FTQ,

M. Louis Laberge, voudrait vous voir dans une autre salle, lui dit Fernand Daoust, vice-président de la même centrale.

— Bien. J'arrive.

Gilles Lefebvre cache au mieux sa nervosité. Lui non plus, à l'instar du technicien Denis Crête qui l'accompagne, n'a pas fermé l'œil de la nuit. Il sent que la pression va grimper. Non loin, Jean-Marc Dominique, contrôleur d'image, ne perd rien des événements. Il note qu'un policier demande à Gilles de quitter le tapis rouge et même de sortir du *Château Montebello*. Il note aussi que Gilles cloue le bec au policier en lui montrant la caméra d'un collègue qui se prépare à filmer la scène pour le bulletin de nouvelles d'une chaîne anglaise. Sibylle, la reporter du *Monde d'Hochelaga-Maisonneuve*, prend des photos avec son appareil Pentax. Pendant ce temps, Yvan Laviolette s'apprête à ouvrir une petite porte sur la galerie intérieure où il a caché des pancartes.

— T'es qui, toiiiiiiiii? demande le président de la Fédération des travailleurs du Québec, Louis Laberge.

— Moé, c'est moé, répond Gilles Lefebvre

— C'est quoi le troublllllle, aujourd'hui?

— Je viens de recevoir un ordre provenant d'un haut niveau et transmis par le Technicien Inconnu!

— Piiiis? ronchonne Louis Laberge.

— Piiiiiiis? Ça va faire patate, le gros party dans la cabane en bois rond. J'ai reçu l'ordre de monter une ligne de pic... pic... pic... piquetage!

— Bravo, bravo, réplique fortement Louis

Laberge en direction de tous ses collègues. Ils écoutent leur boss syndical, ces gars-là. C'est ça, être président de syndicat !

Et aussi vite, à l'intention de Gilles Lefebvre :

— C'est qui, ton président de syndicat ?

— Il s'appelle Luc Chartier et il a négocié toute la nuit à Montréal. Y est pas de bonne humeur.

— Eh ben... il a de l'étoffe, votre président de syndicat. Avec une tête dure pareille, j'ai bien peur qu'il devienne un boss un jour, lance Louis Laberge pour la galerie. Qu'on me trouve ce Luc Chartier ! ordonne-t-il à l'un de ses adjoints, sous le regard éberlué des politiciens et des patrons qui observent la scène.

Trente et une minutes plus tard, après une réunion spéciale avec ses conseillers, le premier ministre aurait déclaré : « Qu'on leur accorde ce qu'ils demandent et que la conférence commence ». La grève prit fin avant même de commencer, ce jour-là. Sourcils Pointus n'a pas été revu de la journée. On raconte qu'il se serait mis à la recherche du Technicien Inconnu. Il aurait été aperçu par Mme Osborne à l'*Hôtel Hawkesbury*. En page 29 d'un quotidien de l'Ontario, on aurait déploré l'attitude du haut fonctionnaire trouvé ivre mort, la tête entre des verres de bière et des bols d'arachides. Son nœud papillon aurait été ramené par les techniciens en guise de butin de guerre.

JEAN GUY, SIBYLLE ET NUIT BLANCHE

Il fait très froid cette nuit. Jean Guy Baribeault, diplômé en droit et organisateur syndical, se remet d'une peine d'amour au bar du café *La Caricature*. Le barman fulmine. Son client n'a pas sombré dans l'alcool et n'a pas déversé un flot de pièces de monnaie en pourboire.

— Tu sais, jeune homme, moi je gagne ma vie avec ceux qui sont victimes de grands chagrins amoureux. Ils enfilent les verres de gin en me racontant leurs déboires. Et plus la peine est grosse, plus je m'enrichis. Toi, tu tètes ta bière depuis 10 heures et jusqu'au lendemain... Regarde l'heure, on est déjà le lendemain, tu comprends ?

Sibylle enlace les épaules du jeune homme abandonné. Il se laisse envelopper par la diseuse de bonne aventure la plus populaire de l'est de Montréal. Jean Guy griffonne. Au-dessus de sa tête, l'horloge de trois pieds de diamètre que la brasserie Molson a imposée au bar.

— Je sais, monsieur le barman, qu'on est le lendemain, et qu'il est 2 h 44 du matin, et que mon char va ne pas partir tellement il fait froid dehors, et que... et que...

— C'est ça, monsieur à la tête d'apprenti avocat en chômage ou encore à la tête de prof granola larmoyant. Je ne gagnerai pas ma vie avec des clients semblables !

En croisant le regard de Sibylle, le barman comprend qu'il a maugréé une fois de trop. Elle fronce les sourcils et repousse la bouteille de bière vide dans laquelle Jean Guy Baribeault se mire depuis des heures.

— Toi, le barman, frotte ton bar et raffine ton langage. Ce jeune homme qui est là et qui me plaît va être bien utile pour les travailleurs dans les prochaines années. Et je peux même te dire qu'il va s'occuper des gars qui font de la télévision. Je ne lis pas dans l'avenir dans son cas. C'est une proposition que je m'apprête à lui faire...

Le barman s'est éloigné et a glissé une pièce de vingt-cinq sous dans le *juke-box*. Et voilà que résonne la voix de Daniel Guichard, « Faut pas pleurer comme ça... » Sibylle enlace Jean Guy. Ils se dirigent vers les restants de lumières tournoyantes sous lesquelles des couples se sont séduits durant toute la soirée.

— Allez, barman, tu remettras la chanson tout le temps de la conversation que je vais avoir avec ce jeune et fringant fils de la Révolution tranquille.

Et, s'adressant à Jean Guy :

— Tu devras payer ta dette à la société. On t'a instruit, tu es en bonne santé et, j'en suis persuadée, un fin causeur.

Dans le regard de Jean Guy, un sourire qui hésite entre le scepticisme et les lueurs d'espoir qui maquillent les yeux des grands séducteurs dans des moments pareils.

— Alors, demande-t-il, on parle d'amour, d'affaires ou de révolution avec toi, chère Sibylle ? Tu sais, moi, le baratin des diseuses de bonne aventure, je n'y crois pas. Dans mes cours de droit, je me passionnais pour les causes indéfendables. Cela dit, j'aime les choses concrètes qui reposent sur des faits !

Le barman entend les chuchotements et propose une autre musique.

— Est-ce que je lui ferme le bec, à ce Guichard ?

— Non… non, répondent en chœur les danseurs, qui en sont à leur dix-septième danse sur *Il ne faut pas pleurer comme ça*. Prépare l'*Internationale*, mon cher vendeur de bière, on va faire la révolution.

— Révolution ? réplique Jean Guy.

— Enfin, presque, chuchote Sibylle en lui mordillant l'oreille. J'ai causé avec un technicien de télé qu'on surnomme le Technicien Inconnu. Il m'a demandé de te parler. Il sait que tu es militant et organisateur à la CEQ. Les technos de Radio-Québec sont dans la merde. Ils ont été affiliés pas mal de temps à un syndicat d'affaires, le NABET, une sorte de grosse machine syndicale qui encaisse les cotisations et qui se fout bien de l'engagement social. Depuis quelques années, ils font cavalier seul avec leur propre syndicat, le SERT. Je pense qu'ils veulent désormais faire partie d'une centrale engagée socialement.

Jean Guy Baribeault s'éloigne du ventre doux de Sibylle. La danse s'arrête. Il retombe sur terre, comme si on lui proposait d'escalader une montagne, ce qui demande un arsenal de ruses, d'intuition, de flair et de détermination pour ne pas s'écraser sur des rochers pointus. « Et ce n'est pas ce soir que je vais consoler mes peines d'amour », pense-t-il en ramenant Sibylle au bar.

— Je te trouvais pourtant si belle. Moi, j'ai pas de chance. Chaque fois que je trouve une fille séduisante, elle tripe uniquement sur mes talents professionnels. Enfin, raconte... C'est qui, ces gars-là, qui veulent se joindre à une grande centrale syndicale ?

Sibylle s'est laissée séduire un moment par le regard intelligent et perspicace de son danseur. Elle regrette un peu d'avoir fait bifurquer la conversation sur un sujet qui la laissera, elle aussi, à sa solitude et à son désir d'être aimée. Elle l'invite à retourner sur la piste de danse.

— Je mets Guichard ou l'*Internationale* ? demande le barman.

— Tu mets *La quête* de Jacques Brel. On a besoin de Don Quichotte, cette nuit, pour rêver d'impossibles rêves ! répond Jean Guy.

Sibylle se colle tendrement sur son danseur et raconte :

— Le barman va vraiment penser qu'on va finir au lit. Il ne se doute pas qu'on complote afin de mettre sur pied une organisation syndicale sur mesure pour les technos de Radio-Québec. Dis-moi, mon beau Jean Guy, comment on fait ça en pro ? J'ai déjà aidé beaucoup de groupes, mais qu'en amateur. Cette fois, je veux savoir comment on fait dans les grandes ligues.

— C'est facile. Un, on identifie le problème. Deux, on décrit le problème. Trois, on discute avec ces gars-là pendant des heures, des jours, des semaines. Enfin, on s'assure qu'ils ne vont pas reculer.

— C'est grisant. J'aime ça quand on parle des vraies choses. Vraiment excitant, ajoute Sibylle en se collant davantage à son danseur.

— Ouais... excitant, tu dis. Si tu décolles pas ton ventre du mien, on ne finira pas notre réunion syndicale.

Sibylle colle son visage sur la joue chaude de Jean Guy.

— T'en fais pas, mon beau. Continue, je contrôle la situation, poursuivons notre causette.

— Tu sais, ces boys-là sont sûrement des gens particuliers, habitués à fréquenter des vedettes. Ils ont sûrement leur franc-parler. Moi, je suis un intello. Le mieux que je puisse faire pour eux, afin qu'ils obtiennent de bonnes conditions de travail, c'est à la fois d'établir un bon dialogue avec leur boss et de formuler de bons arguments de négociation.

— En effet, ils ont besoin d'organisation.

— Ça me plairait de foncer dans une affaire pareille. Tu sais, moi je suis lent. Je n'ai pas peur d'aller à la bataille, mais jamais sans avoir identifié les stratégies les plus fines. Quand la limite est atteinte, je clanche. Ces gars-là doivent savoir clancher, et je pense que ce serait un acquis pour la CEQ. Ça passerait bien dans l'opinion publique que les faiseurs d'images de la télé éducative joignent les rangs de cette centrale d'enseignants. J'en parlerai à Lorraine

Pagé, la vice-présidente. Je vais aussi en parler à
Dupont et Dupond !

— C'est qui ça, Dupont et Dupond ?

— Ce sont en fait les Morin. On croirait qu'ils
sont frères, mais ce n'est pas le cas. Ils sont tous deux
à la CEQ. Ce sont de sacrés organisateurs syndicaux
qui travaillent en tandem, d'où Dupond et Dupont,
comme dans la bande dessinée. Je vais proposer une
rencontre où seront présents des techniciens,
Dupont et Dupond et Lorraine. Je vais avoir le trac,
mais je crois qu'on pourra faire du bon travail. On
va leur proposer une retraite fermée, c'est bon pour
s'apprivoiser.

Satisfaite, Sibylle s'éloigne lentement en tour-
noyant. Elle danse seule en se dirigeant vers le bar,
où elle a laissé sa sacoche. Elle en sort un long foulard rose et repousse ses cheveux sur ses épaules.
Pantois, Jean Guy la regarde avec admiration. Une
lueur de désir illumine son regard qui s'accroche sur
la poitrine de Sibylle.

— Voilà, mon beau Jean Guy, nous y sommes.
Je prends mes fonctions de diseuse de bonne aventure pour te prédire que les techniciens de Radio-
Québec vont joindre les rangs de la CEQ au milieu
des années quatre-vingt. Et je peux te prédire que toi
et moi, nous ferons partie de leur histoire… Moi,
pour n'avoir jamais été une vedette à Radio-Québec,
ils me trouvent tous trop folle. Et toi, pour ta belle
âme qui est d'une patience infinie. Allez, viens !

Jean Guy est subjugué, heureux de cette invitation inespérée. La nuit s'annonce moins glaciale.
Voir venir les petites heures du matin avec Sibylle,
tous les hommes en rêvent.

— On va où ? demande-t-il.

— Chez moi, mon beau !

— Chez toi, vraiment ?

— Et on sera trois.

— Moi, je ne marche pas à trois.

— On va rester habillés, mon beau. Chez moi, c'est aussi chez le Technicien Inconnu, et tu dois t'engager à ne jamais dévoiler son nom. On n'est pas amoureux, on cohabite... Des restants d'habitudes de vie commune. Tu sais, moi, j'en ai organisé des hommes ! Je les aime, disons, comme une sœur !

— C'est vraiment réussi comme malentendu. Vraiment, tu m'as fait rêver un moment, toi. Bon, allons-y. Il ne me reste qu'à laisser bercer ma solitude par ma peine d'amour.

— Oh ! j'oubliais, mon beau Jean Guy ! En guise de remerciement pour ton engagement et ton écoute, je vais te faire profiter de mes talents de devineresse. Ta peine d'amour achève. Tu tomberas amoureux bientôt et tu te marieras l'année prochaine, charmant séducteur. Et ce n'est pas tout ! Tu auras trois belles filles. Tu vois comme la vie sera belle. Tu seras entouré de femmes. Bonne nouvelle, n'est-ce pas ? Tu seras un conseiller syndical important et tu voyageras dans de nombreux pays. L'Afrique, peut-être ?

— Et toi, beauté des beautés, que deviendras-tu ?

Sibylle rougit.

— Moi ? Tu me demandes ça à moi, une diseuse d'avenir ! Sache que ma spécialité, c'est le mystère. Je fréquenterai longtemps les gens de la télé, parce que j'aime l'imaginaire. J'aime ces gens-là parce qu'ils réinventent la vie. Moi, personne ne sait vraiment comment me voir. J'aime venir en aide aux autres et peut-être qu'un jour je deviendrai écrivaine et que je m'amuserai à transformer toutes sortes d'histoires sans jamais perdre de vue la vérité. Même si j'enrobe de détails croustillants la vie réelle des gens, je ne mens jamais. Je déteste le mensonge. Et ce que j'écrirai sera presque toujours vrai.

Le barman a verrouillé la porte à double tour. Il est 5 h 30 du matin. Il est resté à l'intérieur, où il a passé l'aube à rêver de ne plus servir de clients qui ne consomment pas pour la peine.

— Chienne de vie ! murmure-t-il en regardant Jean Guy Baribeault et Sibylle s'éloigner bras dessus, bras dessous. Moi, je ne peux me syndiquer qu'avec mon chien !

Nuit Blanche, un saint-bernard couleur caramel, est étendu de tout son long à côté de son maître. Le chien rentre souvent avec lui à moitié soûl. Il aime lécher les fonds de verres.

— Bonne nuit, Nuit Blanche, enfin, ce qu'il en reste, murmure le barman.

Un trip en Camaro
le long de la rivière des Outaouais

Compressions en vue : des techniciens sont convoqués par le Technicien Inconnu à l'Hôtel Hawkesbury en Ontario, leur quartier général supersecret.

La voiture de Guy Ross roule à plein régime sur la route 148 qui longe la rivière des Outaouais, rivière plusieurs fois parcourue autrefois par le chef indien Pontiac, un grand stratège. Le vent s'engouffre dans les fenêtres grandes ouvertes. Ça bourdonne, mais pas assez fort pour enterrer la voix de Steve Fiset qui chante l'un des premiers succès de Plamondon : « Dans ma Camaro, je t'emmènerai... dans ma Camaro, je... »

Sur la banquette arrière, Denis Crête, éclairagiste, tente avec peine de dissimuler son angoisse de condamné à mort. La vitesse l'effraie. Il sent sa dernière heure arriver. Il hésite à demander à Guy Ross d'être moins lourd sur l'accélérateur. Le chauffeur, en mission spéciale commandée par la direction de son syndicat, est écrasé dans son siège de conducteur comme s'il faisait la sieste dans un *lazy boy*. Son regard est parfois ennuagé par de la fumée de cigarette. Il n'a pas cessé de fumer depuis le départ de

Montréal. Ses yeux se promènent du ciel jusqu'à la route et de la route jusqu'à d'autres cieux. Rouler... rouler... Il ne pense qu'à ça, et à sa blonde, une assistante, restée au studio de Radio-Québec où le réalisateur Pierre Duceppe enregistre une série de portraits sur les premiers ministres du Québec.

Sibylle est assise à côté de Denis Crête. « On dirait Greta Garbo dans *La comtesse aux pied nus* », songe ce dernier en observant Sibylle, le bras pendant par la fenêtre ouverte. Elle est vêtue d'une robe rose et a la tête enrubannée d'un foulard de soie rose. Avant de quitter Montréal pour Hawkesbury, elle faisait la moue. Elle croyait que la Camaro de Guy était rose. Elle déteste le rouge. Dans ses mains gantées de rose, une liasse de documents fraîchement imprimés et enserrés dans un ruban de papier noir. Sur un carton rose attaché à la première feuille, une petite note manuscrite : « Documents pour le Technicien Inconnu ». Soudain, une main rose s'agite dans le rétroviseur de Guy Ross.

Il a compris qu'on lui demande de ralentir. « À vos ordres, madame ! » semblent dire les yeux du chauffeur qui ont remplacé la main gantée dans le rétroviseur. Un voyant rouge clignote dans le tableau de bord de la voiture. Guy Ross roule plus lentement. Denis Crête a cru un instant que le moteur était en train de flancher. Mais non, le chauffeur s'est patenté un antiradar afin d'éviter les contraventions.

— Content qu'il ralentisse, dit Denis. Nous allons pouvoir planifier notre rencontre de stratégie. On roule depuis une demi-heure et on n'a pas pu encore se parler. Dans une heure, on sera avec le Technicien Inconnu et on devra s'entendre sur l'attitude de notre syndicat pour les années quatre-vingt.

— Donne-moi encore un moment, Denis, répond Sibylle. J'ai besoin de concentration. J'ai aussi besoin d'un peu de poésie pour discuter de choses concrètes. Nous devons rester en contact avec l'essentiel, la vie, la nature.

Guy Ross glisse une cassette dans le magnétophone de la voiture. Il connaît ses deux voyageurs. « Les *Quatre saisons* de Vivaldi vont les détendre. J'ai eu le pied un peu trop pesant ! » Denis Crête est un homme calme et posé qui déteste les affrontements, même s'il lutte orageusement pour de meilleures conditions de travail. Il est souvent un point d'équilibre entre les politiques du groupe et les plus fougueux. L'attitude de Sibylle, son brin de poésie, de folie contrôlée et son surprenant pragmatisme lui conviennent parfaitement. Sibylle a détaché sa chevelure. Elle montre du doigt les moutons blancs sur la rivière des Outaouais et déclame :

— « Nous trouvâmes une rivière fort belle et spacieuse qui vient d'une nation appelée Oueskarini, laquelle se tient au nord d'icelle, et à quatre journées de l'entrée. Cette rivière est fort plaisante et à cause des belles îles qu'elle contient et des terres garnies de beaux bois clairs qui la bordent ; la terre est bonne pour le labourage. »

Les deux compagnons de Sibylle sont sous le charme. Et après un long silence, pendant lequel chacun savoure l'effet des mots appliqués aux lumières du paysage, Denis demande à sa compagne :

— Sublime… De qui est ce texte ?

— Il est de Champlain, mon beau jeune

homme. Il l'a écrit en 1613 après avoir remonté la rivière des Outaouais en route vers l'île aux Allumettes. J'ai chez moi toutes les cassettes des émissions sur l'histoire du Québec que Radio-Québec a produites. J'apprends des répliques par cœur. Et si un jour, un réalisateur accepte de me recevoir, je lui en mettrai plein la vue.

— Me semblait que ça me disait quelque chose, cette belle déclamation, ajoute Guy Ross. Dommage que nos émissions ne soient pas plus largement diffusées. Si je me bats pour éviter les compressions budgétaires, c'est parce que je crois que le Québec doit développer davantage sa télé. Les boss essaient de faire croire qu'on bousille la production par caprice. Dans nos stratégies, il nous faudra trouver une ligne juste pour faire valoir notre combat pour produire davantage d'heures de télé. Et que nous voulons un meilleur équipement pour être à la hauteur des images modernes que les téléviseurs livrent dans les foyers québécois.

— J'espère que c'est écrit dans le rapport pour le Technicien Inconnu, Sibylle. Il faut tout faire pour éviter le démantèlement de notre télé et arrêter les producteurs privés qui ne cessent de se promener dans les bureaux des ministres pour les convaincre de nous couper les vivres. Ils veulent faire du *cash* avec notre mandat de faire de la télé éducative...

La Camaro prend de la vitesse. Du bout du pied, Guy Ross a marqué sa détermination. Ses phrases sont plus saccadées. Il a oublié les contrôles de police, qui pourtant guettent aux portes de l'Ontario. Hawkesbury, située dans la province voisine, n'est qu'à quinze minutes. Le long de la route, il aperçoit les petites maisons blanches construites par des Écossais depuis 1807.

— Regarde ces belles maisons, lui dit Sibylle. Inspirons-nous des Écossais pour les prochaines négociations. Travaillons méthodiquement et parlons peu. Voyez la sérénité qui se dégage de ce décor. Le Technicien Inconnu aura pour tâche de convaincre son interlocuteur que la télé québécoise doit s'étendre dans toutes les régions du Québec. Vous le savez, son interlocuteur sera Sourcils Pointus, ce fonctionnaire que Gilles Lefebvre avait joyeusement planté au sommet de Montebello.

Denis Crête tente de cueillir sa mallette à ses pieds, puis est soudain projeté vers l'avant. Sibylle s'accroche à la banquette. La voiture décélère et sautille, comme si un véhicule spatial revenant trop vite de l'espace rebondissait dans l'atmosphère. Deux motards de la police ontarienne, qui se prennent pour des cow-boys du Texas, pointent leurs mains gantées de cuir noir en direction de Guy Ross. Le conducteur arrête l'auto sur le bas-côté et affiche instantanément une tête de repenti. Le policier descend de sa moto et se dirige d'un pas nonchalant vers le véhicule.

— Si je comprends bien, on va payer une taxe pour entrer chez les Anglais! lance Denis Crête. Une chance que je suis secrétaire du syndicat et qu'on a une caisse pas trop mal garnie. Nos membres vont payer chacun leur part de quelques sous. Après les réductions que les boss envisagent dans l'effectif des techniciens, on n'aura plus les moyens de se payer ce genre d'amende.

— Parle moins fort ! chuchote Sibylle.

Sibylle tremble. Elle a très peur de la police. Pendant la crise d'Octobre, une horde de policiers a débarqué chez elle en pleine nuit. Elle était fichée comme suspecte, gauchiste. Elle avait été photographiée pendant les grandes marches nationalistes et ouvrières de la fin des années soixante. Elle figurait aux côtés de poètes, d'artistes, de musiciens et même d'hommes politiques, tel Jacques Parizeau.

— Rassure-toi, Sibylle, y a personne qui va t'embarquer. Ça fait dix ans que la crise d'Octobre est finie. Le Parti québécois est au pouvoir... tes amis, quoi ! Le ministre des Finances fait partie de tes connaissances... Celui-là même qui veut nous convaincre de voter au référendum va te protéger, ajoute-t-il avec humour pour la rassurer.

— Ne rigole pas, Denis. En Ontario, tu files tout droit en cellule lorsque tu roules comme un fou sur les routes.

L'échange entre le motard et Guy est bref et enjoué. Le policier met ses lunettes de soleil et fait signe à son collègue de dégager la route.

— *Those guys are from Radio-Québec. And the driver, Mister Ross, is my cousin...*

Guy Ross redémarre lentement, triomphant, et se tourne en direction des passagers médusés sur la banquette arrière.

— T'es vraiment son cousin ? demande Denis.

— Non, mais je connais mon histoire familiale

et je lui ai raconté qu'il n'y a eu qu'une seule lignée de Ross, dont l'ancêtre est arrivé au Québec il y a deux siècles, et que je suis sûrement écossais moi aussi.

— Fantastique ! s'écrie Sibylle. Mais ne soyez pas naïfs, les gars, si y sont bien gentils, les Anglais, avec nous... ils ont tous peur que l'on dise oui au référendum qui doit se tenir cette année. Et laissez-moi vous dire, les petits gars, que si le référendum passe, vos jobs ne vaudront pas cher. Le Parti québécois, qui est au pouvoir depuis le 15 novembre 1976, a toujours dit qu'il y aurait une fusion entre les restants de Radio-Canada et le Radio-Québec d'aujourd'hui. Les libéraux de Robert Bourassa ne vous ont jamais touchés parce qu'ils craignaient une levée de boucliers de la part des artistes et de la gauche tout entière. Personne ne va vous défendre si le oui passe. Tout ce qu'il y a de mouvements progressistes marche avec le pouvoir actuel. On entre dans une drôle d'époque. Une période où il sera malvenu de contester. C'est notre distingué stratège politique, Jean-Paul Mallier, qui m'a raconté tout ça. Et Jean-Paul sait de quoi il parle. Allons ! Maintenant, il est temps de travailler nos dossiers. Après dîner, on prépare le Technicien Inconnu pour sa rencontre avec M. Sourcils Pointus.

Sibylle remonte la glace arrière. Les deux hommes font de même. Avant leur départ de Montréal, ils ont tous trois convenu d'enrichir leurs dossiers de souvenirs sur les émissions dans lesquelles chacun a travaillé et s'est exprimé. Sibylle ouvre un grand cahier à pages lignées.

— Je note minutieusement. Commençons par toi, Guy!

— Moi, j'ai été aiguilleur pour une émission qui s'intitulait *La maison de papier* dont je conserve un charmant souvenir. Le réalisateur était Guy Parent, le scénariste et animateur s'appelait Claude Lafortune. En studio, la «famille papier» fabriquait des tas de trucs maison... On racontait une histoire en découpant et en collant du papier. Ça donnait des résultats impressionnants. L'émission visait à développer des habiletés manuelles.

— J'aurais aimé ça, jouer là-dedans, ajoute Sibylle.

— Tu pourrais jouer dans tout, réplique Denis.

— Petit flagorneur, va... Et toi, qu'est-ce que tu as aimé?

Intimidé, Denis Crête rougit. Garçon très observateur, il se sent bien dans les productions où la poésie trouve sa place. Dans une chemise chargée de dossiers qu'il s'apprête à ouvrir sont notées les émissions qui lui ont plu et qui témoignent de l'engagement des techniciens pour leur télé éducative. Avant qu'il prenne la parole, Sibylle lui dit:

— Vas-y selon ta mémoire, Denis. Ce sera juste et plus sensible!

— Bon. Tu as raison. On a fait une très belle série qui s'intitulait *Moi, mes chansons*. On y recevait des auteurs-compositeurs de grande qualité. Je me souviens surtout du passage de Félix Leclerc. Il avait chanté *L'encan*. Ça, c'était beau. Une défense de notre patrimoine que nous dilapidons souvent. Il a aussi chanté *L'ancêtre*, *Le chant du patriote* et *Contumace*.

— Touchant, ce que tu racontes. Et toi, qu'est-ce que tu faisais dans l'équipe ?

— J'étais avec ma gang, à l'éclairage. On s'est forcés. C'était vraiment intéressant. Des *Moi, mes chansons,* on en a fait des dizaines. Les grands auteurs-compositeurs comme les poètes en herbe y passaient : Claude Léveillée, Fabienne Thibeault... Le plus fabuleux moment fut avec Raoul Duguay. Sa chanson a duré dix-sept minutes. Elle s'intitulait *Ô ou l'invisible enfant.* C'était vraiment tripant.

La voiture ralentit, puis s'arrête en bordure de la rivière des Outaouais. Guy Ross glisse sa main sous le siège du passager.

— Voilà, les copains, trois supersandwichs au jambon. J'espère qu'il n'y a pas trop de moutarde. Ma blonde en met toujours trop. Et pendant qu'on bouffe, moi, j'aimerais vous parler d'une fabuleuse émission dans laquelle les techniciens faisaient des miracles. Éclairage, aiguillage, son, images et bien d'autres fonctions étaient mises en valeur. Faut parler de ça au Technicien Inconnu pour qu'il fasse l'éducation de ce haut fonctionnaire que vous appelez Sourcils Pointus.

Guy Ross n'a pas tout à fait tort de mettre en garde ses compagnons de voyage contre un surplus de moutarde qui pourrait surgir de leur sandwich. Sibylle fulmine. Une grosse plaque jaune macule sa belle robe rose à la hauteur des genoux. Mais aussi vite, elle quitte son air renfrogné.

— Ne vous en faites pas, les technos, une diva ne voyage jamais sans un vêtement de rechange. J'ai un bel ensemble qui me colle parfaitement à la peau. J'évitais de le porter avec vous en voiture. Je ne voulais pas troubler vos petits cœurs d'artistes. Allez, accouche, Guy Ross! Quelle est cette émission importante?

— *Aux yeux du présent*, ma chère Sibylle. On montait des procès dans lesquels apparaissaient des grands personnages de l'histoire. Le réalisateur était Pierre Gauvreau. C'est pas un homme facile, mais lorsque que l'on travaille avec un réalisateur de ce genre, ça fait des ostie de bons shows…

— Accouche, Guy. Raconte… Et c'étaient qui, les personnages?

— Soyez patients. Même si je *drive* mon char comme un pilote de formule 1, je suis très lent lorsque je fais mon métier. Je déguste. J'aime cette job. Donnez-moi n'importe quel machin électronique qui ne fonctionne pas et j'en ferai une œuvre d'art. Si les gars de la NASA me connaissaient, on recevrait de meilleures images de la Lune sur nos écrans. En toute modestie, je suis un très bon réparateur de lentilles.

Denis Crête et Sibylle écarquillent les yeux. Ils s'impatientent.

— Me semble que tu fais une digression, Guy, dit Sibylle. Tu parlais de l'émission *Aux yeux du présent* et nous voilà sur la Lune.

— Ah! Ah!… S'cusez. Ça doit être mon âme d'artiste. Je vais vous nommer des personnages de l'histoire qui font la petite histoire des bonnes émissions. Le Technicien Inconnu devra enfoncer notre palmarès de succès entre les sourcils pointus de M. Sourcils Pointus.

— Vraiment, accouche, Guy. Nomme-les, ces personnages de l'histoire, lui lance Sibylle. L'encre de ma plume coule tellement il fait chaud dans ta Camaro.

— Notez : Camillien Houde, Maurice Duplessis, Mussolini, Néron, Durham… On a même traité du débarquement de Dieppe. C'était fort comme émission.

Guy Ross décrit pendant quinze minutes les émissions qui ont été les plus marquantes dans les années soixante-dix. Radio-Québec avait alors le vent dans les voiles. Il doit interrompre son énumération lorsque Sibylle lui signale qu'elle n'a plus d'encre dans son stylo. En refermant ses dossiers, elle ajoute qu'il lui reste un mot à dire avant de retomber dans le silence pour le reste du voyage, pour mieux se concentrer avant cette rencontre importante.

— Les gars, j'ai rejoint Mme Osborne, une dévouée employée de l'hôtel où l'on descend à Hawkesbury. Je lui ai demandé qu'elle nous serve des sandwichs, les plus *cheaps* qu'elle pourra faire. On va mettre M. Sourcils Pointus au régime des travailleurs. Pas de saumon fumé, pas de petit vin blanc non plus. Du Kik Cola et des sandwichs roses au jambon. On va lui débiter la liste des émissions que nous faisons et qu'il n'a jamais regardées, je suppose. Allez, mon cher Guy Ross, pousse sur le champignon. On a le feu vert de ton cousin, le policier Ross. On part à la conquête du monde !

Guy Ross fait plaisir à sa Camaro. Il accélère pendant que Sibylle entonne :

— « Dans ma Camaro, je t'emmènerai… dans ma Camaro… »

Sourcils Pointus noie sa tristesse dans une causeuse fleurie au-dessus de laquelle frétille un canard mal empaillé. Le ventilateur que lui a apporté Mme Osborne rafraîchit davantage la volaille morte depuis longtemps que le front du haut fonctionnaire venu tenter de convaincre le Technicien Inconnu des vertus de la production de la télé privée au Québec. Dans les officines gouvernementales, on songe à confier à des sociétés de production indépendantes la réalisation d'au moins quarante pour cent des émissions de Radio-Québec. Et selon certaines rumeurs, Sourcils Pointus serait l'instigateur du projet. « S'il pense qu'il est capable de vendre cette idée aux employés de Radio-Québec, qu'il le fasse ! Moi, je ne touche pas à cette télé. Le ciel va nous tomber sur la tête. Qu'il se débrouille avec son idée. Un point c'est tout », aurait dit le premier ministre du Québec. Sourcils Pointus tend un verre vide en direction de Mme Osborne.

— La vie vaut la peine d'être bue ! Vous ne croyez pas, madame Osborne ?

— Va falloir vous ressaisir, monsieur. Ça ne fait pas très distingué la façon dont vous êtes affalé. Et toutes ces taches sur votre culotte, on dirait que…

— Ne vous méprenez pas, chère madame. Ce sont des taches de vin. Je renverse toujours mon verre lorsque je m'énerve et que je perds le contrôle de la situation. C'est la faute de ma mère. Quand j'étais petit, elle criait toujours après moi. Terrorisé, j'échappais tout. Que Dieu ait l'âme de ma pauvre mère ! Et puis, je veux une autre bouteille. Vous avez du beaujolais nouveau ?

— Non, il n'y en a pas. Et tout ce qu'il y a de nouveau, ici, c'est le brouhaha que vous faites depuis que vous êtes arrivé. Je pense que vous n'êtes pas bien. On dirait que vous êtes déprimé. Vous n'allez pas malaxer votre déprime avec du vin sirupeux ? Il ne me reste qu'une vieille bouteille de Malbec. Et ça fait un lustre qu'elle est au frigidaire, en fait, depuis votre dernière visite, ce jour si bordélique où vous cherchiez à rencontrer le fameux Technicien Inconnu…

Le regard perdu dans les grandes fenêtres à guillotine du salon de l'hôtel, Sourcils Pointus laisse tomber volontairement son verre vide sur le carrelage déformé.

Le patron de l'hôtel, qui ne reçoit plus que trois ou quatre clients par semaine, n'a pas été vu depuis longtemps et la plupart des visiteurs sont des créanciers. Tout est à l'abandon.

— C'est pas parce que tout est croche ici qu'il faut empirer la situation ! lance à haute voix Mme Osborne. C'est pas de ma faute si le Technicien Inconnu vous a envoyé paître et s'il a disparu avant que vous ayez pu le voir.

Visiblement triste, le haut fonctionnaire québécois affiche un air désolé afin d'obtenir le pardon de Mme Osborne.

— Ramassez vote dégât, lui dit-elle, et vous aurez votre vieille bouteille de vin...

Sourcils Pointus se montre digne en se levant. Il semble reprendre ses esprits et son port de tête lui donne une allure de gentleman britannique. Il croise les mains à la hauteur du bas-ventre comme s'il cachait une impuissance. Il adopte souvent cette posture dans les moments d'angoisse.

— Bien sûr que je ramasserai le verre brisé, chère madame. Je ne voudrais pas que quelqu'un se blesse par ma faute. Mais avant, puis-je vous parler un peu? Puis-je me confier et vous interroger? J'aimerais comprendre ce qui m'arrive et j'aimerais surtout savoir qui est ce Technicien Inconnu. Il semble que vous soyez la seule, à part cette Sibylle, à l'avoir aperçu. Car c'est bien ici, à l'*Hôtel Hawkesbury*, qu'était son quartier général alors qu'il y avait menace de grève des techniciens de Radio-Québec, au moment du sommet de Montebello, n'est-ce pas?

Mme Osborne enlève son tablier blanc et s'installe lentement dans un récamier, pièce de mobilier laissée dans cet hôtel par un certain Sigmund Freud à l'occasion d'un passage au Canada en 1936, où elle dort la nuit afin d'assurer la surveillance de l'immeuble. Les chambres sont trop humides et trop tristes.

— Cher monsieur, j'ai horreur d'être questionnée. Si je m'allonge ainsi, c'est pour reposer mes vieilles jambes, et ce n'est pas pour me faire psychanalyser par un homme qui est plus mal en point que moi. Ne comptez pas sur moi pour vous parler du Technicien Inconnu. J'aime ce garçon comme s'il était mon fils. Il est aussi sensible que beau. Aussi généreux que déterminé. Il ne ferait pas de mal à une mouche ! Et s'il vous fait des misères, c'est que vous les méritez.

Mme Osborne a monté le ton. Sourcils Pointus tente de la calmer.

— Je n'ai rien de personnel contre ce jeune homme que je ne parviens pas à rencontrer et qui pourtant, par votre intermédiaire, m'avait donné rendez-vous ici afin de connaître les intentions de mon gouvernement sur l'avenir de Radio-Québec. J'avais finalement accepté de participer à cette rencontre, à laquelle devaient assister des technos de Radio-Québec et cette…

Sourcils Pointus s'arrête soudain et affiche un regard amer. Il rougit de colère mais parvient à se maîtriser. Il enchaîne :

— … et cette Sibylle, cette granola, cette écrivassière de journal populaire qui fomente des révolutions et qui vit en commune ! Celle qui a mis la pagaille en prédisant l'avenir de Radio-Québec au cours de ses séances de diseuse de bonne aventure. Elle reçoit régulièrement les technos de Radio-Québec et imagine leur avenir pour quelques sous. Ils la croient, ces pauvres jeunes hommes. Aujourd'hui, je suis donc venu leur dire à tous que jamais il n'y aura dix présidents en trente ans dans leur boîte ! Et aussi leur promettre la stabilité. Que jamais la moitié du personnel ne sera mis à pied avant l'an 2000 ! Que jamais on ne confiera une grosse partie de la production à des entreprises privées. Enfin, je suis là pour leur donner la parole de mon gouvernement, dont je suis le principal conseiller en matière de télécommunications. Mais la seule chose que je ne peux leur promettre, c'est d'éviter un changement de nom d'entreprise. Un jour, leur boîte s'appellera Télé-Québec. Ils font de la télé, après tout ! Je leur apporte une bonne nouvelle. Je viens leur dire que leur société va avoir des bureaux partout dans le Québec. Et vous savez ce qu'elle leur a dit, cette Sibylle, dans ce café de dépravés qu'est *La Caricature*, cet endroit de perversion sociale fréquenté par les *beatniks* ? Elle leur aurait affirmé que plusieurs devront quitter leur foyer pour aller travailler dans une autre ville. Et ça, je suis ferme là-dessus, je m'y opposerai. Je suis venu donner ma parole… celle du gouvernement. Dites-moi, madame Osborne, comment se fait-il que ce Technicien Inconnu m'ait posé un lapin ?. Je l'attends depuis deux jours dans cet hôtel miteux !

Mme Osborne lui sert ce qu'il restait de vin dans la bouteille. Elle observe la tête de son interlocuteur avec amusement. Presque suppliant et d'un regard insistant, Sourcils Pointus se racle la gorge et multiplie les toussotements dans l'espoir d'obtenir des réponses à ses questions. Il est un instant distrait par un bruit de porte qui se ferme. Mme Osborne reste silencieuse.

— Je vous en prie, madame, dites quelque chose ! Je vous écoute.

— Puisque vous y tenez vraiment, monsieur, sachez...

Un autre bruit importune Sourcils Pointus. Il se dirige vers la fenêtre, qu'il tente de fermer de manière étanche sans y parvenir.

— Ah! ces motos. Je déteste ces bruits. Ça me déconcentre.

— En effet, cher monsieur, vous manquez de concentration!

— Que voulez-vous dire, madame? Je suis le plus réfléchi des hauts fonctionnaires du Québec. On me dit même un peu zen.

Mme Osborne va à la fenêtre qu'a tenté de fermer Sourcils Pointus et, dans un geste impétueux, elle l'ouvre toute grande.

— On crève ici, ne fermez plus cette fenêtre... Et si vous étiez plus concentré, vous l'auriez aperçu, le Technicien Inconnu. C'est lui qui vient de partir sur sa moto rouge. Pendant que vous racontiez vos choses, tout à l'heure, il était à dix pas derrière et il vous écoutait attentivement. J'ai feint de ne pas le voir et il a fait semblant de croire que je ne l'apercevais pas. C'est tout le charme de ce jeune et ardent défenseur des droits des travailleurs qui se manifeste ainsi. C'est un homme qui sait écouter, qui prend des décisions et développe des stratégies. Une sorte de Zorro. D'ailleurs, en regardant votre front ciselé par l'angoisse, j'aperçois une trace qu'il y a laissée.

Sourcils Pointus s'est dirigé vers les fenêtres. Il en ouvre une péniblement pour tenter d'apercevoir le jeune homme, mais il a déjà disparu sur le chemin bordé d'arbres qui sépare l'hôtel de la route nationale. Il a bien tenté de crier, mais son désarroi l'a rendu instantanément aphone. Il ne parvient plus à se faire entendre de Mme Osborne, qui s'approche avec une serviette d'eau froide. Et un nouveau bruit parvient aux oreilles de Sourcils Pointus, qui esquisse cette fois un sourire en retrouvant un filet de voix.

— Ah! un autre bruit de moteur. Il revient! Il revient, ce Technicien Inconnu. J'imagine qu'il mettait ma patience à l'épreuve. On négocie ainsi avec les techniciens depuis des années. On quitte les tables, on revient aux tables! On quitte les hôtels, on revient dans les hôtels! On se chicane avec de gros mots et on se réconcilie avec d'autres gros mots! Je ne me suis jamais habitué aux manières des travailleurs. Mes études à Londres ont fait de moi un homme poli, je ne m'habituerai jamais!

— Poli, vous dites? Votre gouvernement a déjà emprisonné les grands chefs syndicaux! décoche d'un ton sec Mme Osborne.

— Sachez, madame, que nos prisons québécoises sont plus confortables que le *Hawkesbury Inn*. Qu'importe… Parlons d'autre chose. Je suis ravi que votre Zorro soit de retour. Je l'entends venir.

Et pendant que Sourcils Pointus s'assoit sur le récamier dans une attitude de méditation, tel un yogi qui cherche un moment de paix avant d'affronter une situation difficile, Mme Osborne, penchée à une fenêtre, l'interpelle:

— J'ai une mauvaise nouvelle pour vous, monsieur. C'est pas une moto, mais une Camaro qui arrive. C'est sûrement Sibylle, M. Ross et M. Crête. Ils avaient rendez-vous avec le Technicien Inconnu, qui m'a demandé de leur transmettre un message. J'espère que vous allez être courtois. Ils sont si sympathiques. L'hôtel est leur lieu de rencontre. Ils sont venus ici trois fois, cette année...

Elle obtient pour seule réponse un sifflement. La méditation et l'alcool ont eu raison de Sourcils Pointus, qui s'est endormi dans le récamier.

Toujours à la fenêtre, Mme Osborne salue les voyageurs. Debout près de la portière, Sibylle tient dans ses mains une pile de dossiers.

— Dites, madame Osborne, c'est bien le Technicien Inconnu qu'on vient de croiser ? demande-t-elle.

— J'ai bien peur que oui...

Médusés, les trois se regardent.

— Désolée de vous parler à voix basse, dit Mme Osborne. J'ai un demi-fou à moitié soûl qui se prend pour l'État du Québec à lui seul et qui dort sur un divan pour dérangé mental. C'est Sourcils Pointus ! Quant au Technicien Inconnu, il m'a dit de vous annoncer qu'il allait faire une pause de militantisme afin de voir le monde. Allez, allez... entrez quand même. J'ai quelques bonnes bouteilles de vin en réserve, du beaujolais nouveau.

À minuit le même soir, Mme Osborne, Denis Crête, Sibylle et Guy Ross devisent tranquillement près d'un feu de bois. La chaleur du jour est tombée. Chacun joue à deviner l'avenir sur les conseils judicieux de Sibylle, qui leur annonce que le Technicien Inconnu va un jour leur écrire.

Le chauffeur de M. Sourcils Pointus a ramené son patron, sans ménagement, dans la limousine du gouvernement. C'est le même garde du corps qui a accompagné le premier ministre Jean-Jacques Bertrand lors de l'inauguration de Radio-Québec, en 1969. L'âge de la retraite depuis longtemps passé, cet homme a toujours insisté pour conserver son poste. Il y a plusieurs années, il a épousé en seconde noce sœur Isabelle Galtier, qui avait rendu sa robe, cette religieuse qui imprimait *Le Monde d'Hochelaga-Maisonneuve* dans l'immeuble des sœurs de la Providence, à qui le Technicien Inconnu avait offert une rotative pour le journal communautaire.

Mißverständnis

Hôtel Schoeneberg, Berlin

1ᵉʳ septembre 2001

Cher monsieur Poirot,

Dans une très charmante librairie du quartier Kreuzberg, le quartier turc de Berlin, j'ai eu l'agréable surprise de découvrir le fameux roman Mißverständnis ou Le malentendu. Comme vous, j'ai été séduit par cette histoire à multiples personnages. J'ai connu les héros que l'auteure, Nicole Fontet, a campés dans son récit. J'ai aussi reconnu le quartier où est née la télé éducative québécoise qu'ils ont contribué à mettre en place à la fin des années soixante.

J'aurais aimé trouver un exemplaire en français de ce petit roman que vous suggérez aux jurés du prix Tout-Court. La traduction du québécois à l'allemand est sublime. Je me suis laissé bercer pendant plusieurs jours par les mots de l'auteure. Et ces mots, elle les a trouvés dans l'âme et dans le cœur de mes anciens collègues de travail. Je me suis rappelé des hommes qui bichonnaient les antennes du réseau sur le grand territoire québécois. Pendant les longues nuits d'hiver qui empiètent souvent sur le jour, ils parcouraient les territoires les plus hostiles. Dans les contrées sauvages de Baie-Trinité et de Chibougamau, ils besognaient sur le territoire des caribous. Et sur le faîte des antennes d'acier de Grands-Fonds et de Val-d'Or, ils luttaient pour l'envol des images des temps nouveaux. On aurait dit des aigles. Souvent, ils gravissaient des montagnes, alors que des rafales de neige fouettaient leurs visages. On ne parle pas assez souvent d'eux, des risques qu'ils couraient.

Le roman de Fontet m'a redonné le goût du Québec. Ce matin, en déambulant dans le Prenzlauerberg, le quartier des squatters et des artistes déjantés, ceux qui refusent l'ordre établi, je me suis souvenu des jeunes hommes qui militaient et qui apeuraient parfois les plus réservés. Je me suis souvenu qu'ils cherchaient de la reconnaissance. Ils avaient le goût des lumières qu'ils créaient. Ils voulaient que leurs images soient diffusées sur tous les écrans québécois et même dans les provinces voisines puisque, depuis le cœur des années soixante-dix, Radio-Québec rejoint des Acadiens et des Franco-Ontariens. En apercevant les revendications inscrites sur les murs par les graffiteurs dans les cours arrière du quartier que j'habite temporairement à Berlin, je me suis rappelé les centaines d'affiches que je peignais avec mon fils pour mes anciens collègues. Au petit matin, les patrons maugréaient en découvrant des mots un peu durs, mais souvent justes, que les techniciens répandaient un peu partout et que je recueillais sur de petits papiers. J'écrivais ensuite leur vie quotidienne sur des pancartes pour nourrir leurs débats.

Aussi, ce matin, en traversant Berlin Est, avec ma vieille Triumph 69 que j'ai ramenée de Montréal, je me suis rappelé le fameux autobus jaune. Les technos s'en servaient pour indiquer à leurs patrons qu'une grève s'annonçait et qu'ils pouvaient quitter le travail. Rarement le terrifiant véhicule a-t-il quitté son port. Ils sont toujours restés au poste, les gars. Je crains bien que l'autobus pourrait réapparaître en ces temps modernes et de grand libéralisme. J'ignore quelle vie mènent maintenant mes anciens collègues à la télé du Québec. Il y a longtemps que je n'ai pas eu de nouvelles de mon fils. Je suis heureux qu'il ait pu décrocher un emploi à Télé-Québec. Il est timide comme moi. Ce garçon bardé de diplômes et fort discret déteste l'injustice.

Si je vous écris, cher monsieur Poirot, c'est pour partager avec vous le mot *unvollendet*, en français « inachevé », et pour vous dire que j'espère que l'auteure publiera une suite au *Mißverständnis*. Des événements troublants et touchants se sont produits dans la télé québécoise à la fin des années quatre-vingt et jusqu'à tout récemment.

Personnellement, je songe à un retour à Montréal pour me documenter. Je vais écrire à Sibylle afin qu'on me trouve un appartement où je pourrai m'adonner à mon plaisir favori : faire des graffitis. J'ai appris dans un journal de Prague, il y a quelques mois, que le fameux Sourcils Pointus n'aurait plus sa tête et serait interné. Malheureusement, dans la même dépêche, provenant de L'AFP, j'ai aussi lu qu'il a été remplacé par un monsieur semblable.

Enfin, Mme Nicole Fontet et son éditeur ont choisi le bon titre. En effet, la lutte de ces jeunes hommes, les héros du roman, n'a pas toujours été comprise. Voilà le véritable malentendu.

Je vous écrirai de nouveau, monsieur Poirot, et sûrement depuis Montréal. À bientôt et félicitations pour votre jugement littéraire.

Le Technicien Inconnu

Table

CET OUVRAGE
COMPOSÉ EN GALLIARD CORPS 12 SUR 15
A ÉTÉ ACHEVÉ D'IMPRIMER
LE 11 JUIN DE L'AN DEUX MILLE DEUX
PAR LES TRAVAILLEURS ET TRAVAILLEUSES
DES PRESSES DE L'IMPRIMERIE GAUVIN
À HULL
POUR LE COMPTE DE
LANCTÔT ÉDITEUR.

IMPRIMÉ AU QUÉBEC (CANADA)